Системное видение лучш

CW00670698

Алехандро Очоа Пимиента

Системное видение лучшего образа и качества жизни

Наш мозг, вероятно, самый сложный объект во Вселенной, способен создавать чудесные вещи, которые одушевляют нас

ScienciaScripts

This book is a translation from the original published under ISBN 978-620-0-03241-6.

Publisher:
Sciencia Scripts
is a trademark of
Dodo Books Indian Ocean Ltd. and OmniScriptum S.R.L publishing group

120 High Road, East Finchley, London, N2 9ED, United Kingdom
Str. Armeneasca 28/1, office 1, Chisinau MD-2012, Republic of Moldova, Europe

ISBN: 978-620-7-00968-8

Оглавление :

Системное видение

Для лучшего образа и качества жизни

Алехандро Очоа Пимиента

Посвящение

Эта работа посвящена моей неразлучной спутнице "Лише".

Аксиомы служат для определения истин, которые принимаются без сомнения в их истинности, поэтому они не нуждаются в обосновании, и сам факт их произнесения означает, что то, о чем говорится в предложении, принимается как должное. Есть одна, которая, в частности, не относится к данному посвящению; предложение, на которое я ссылаюсь, гласит, что "человек сам творит свою историю", а лично я не один творил свою историю, моя история стала нашей историей более тридцати четырех лет назад.

В этой совместной истории мы вместе пережили множество событий, одни из которых были более значительными, а другие - менее трансцендентными; многие считали, что это приключение закончится через некоторое время. Несмотря на это и по какой-то причине, мы оба сопротивлялись предсказаниям и решили идти своим путем, иногда отдаляясь друг от друга, а иногда становясь слишком близкими. Мы вместе решили верить и вместе решили доверять, мы вместе учились идти иногда вместе, иногда порознь, но всегда сохраняли точки соприкосновения.

Именно наши дети, сами того не зная, стали причиной нашей близости, и именно они же послужили стимулом для нашего роста, который происходил без помех со стороны одного или другого из нас.

В разное время защита наших идеалов заставляла нас расходиться во мнениях, но эти идеалы никогда не были настолько сильны, чтобы заставить нас отдалиться друг от друга. Со временем мы добились поставленных целей и стали играть социальные роли; поначалу нам было трудно, но в конце концов мы не остепенились, и теперь мы не только пара, но и родители, свекры, бабушки и дедушки.

Наше путешествие еще не закончено, это лишь часть нашего романа, и теперь эта книга - часть этой истории. Это произведение могло быть создано благодаря тому, что вы смогли поверить в меня, и именно эта вера побудила меня написать этот текст. Эта книга для вас, которые позволили мне стать частью вашей истории, и поэтому отныне она становится нашей историей.

Предисловие

Наш мозг, вероятно, самый сложный объект во Вселенной, способен создавать удивительные вещи, которые оживляют нас и дают нам жизнь; но он также может стать и тем, что отнимает ее, если мы дадим нашим мыслям власть вредить нам. Давайте вспомним, что мы рождены для активного участия в эволюции космоса, но социальные ограничения погружают нас в ментальные клетки, которые не позволяют нам быть теми, кем мы являемся на самом деле.

Название этой работы - приглашение к системному анализу видения, которое формирует нас как людей. Автор говорит о том, что необходимы упорные, непрерывные, интенсивные и неустанные усилия, чтобы переосмыслить настоящее, заменив восприятие прошлых событий обновленным восприятием.

Как получается, что во многих случаях возникают ситуации, требующие решения, и как из этого кажущегося "простого действия" возникают непредвиденные обстоятельства, которые могут спровоцировать изменения и эмоциональные перепады, затрудняющие адекватное восприятие нашей реальности? Подход работы утверждает, что мы не были бы прежними, если бы нас не формировали те, кто нас воспитывал, поскольку конструирование нашей реальности основано на чувстве принадлежности, которое удерживает нас привязанными к людям или обстоятельствам.

Эта книга призвана открыть разум и душу бесконечным альтернативам, где описывается обычная история, похожая на истории многих других людей, поскольку, как говорит автор, система убеждений переориентируется, а вместе с этим достигается гибкость в видении и восприятии себя.

В частности, зачем читать эту книгу, чтобы спросить себя о том, что мы на самом деле не осознаем, что наша жизнь может кардинально измениться за несколько секунд. Человек жив по одной и той же причине, не стоит откладывать свое существование на потом. Так давайте же отпразднуем, прочитав ее, непреодолимую радость быть живым.

Нидия Тирадо

Введение

Секунды, минуты, часы, дни, недели, месяцы, годы, люструмы и десятилетия - это способы измерения и определения места во времени человеческих событий. Их использование позволяет определить свое местоположение в любой момент жизни, и поэтому они служат точкой отсчета для запоминания событий. Воспоминания - это способ пережить прошлое, и эти воспоминания порождают ощущения, которые вызывают эмоции, одни из которых очень приятные, а другие - неприятные. Эту способность человека вспоминать прошлые события очень трудно контролировать, поскольку воспоминания в значительной степени являются результатом воздействия нынешних стимулов, имеющих некоторое сходство с прошлым опытом. Мы настолько привыкли к этой модели действий, что научились жить, не задаваясь вопросом о том, способны ли эти прошлые воспоминания накладывать отпечаток на наше настоящее. Можно даже утверждать, что независимо от того, насколько позитивным или негативным было то, что мы пережили, любой опыт так или иначе оставляет после себя наследие или богатство, которое выливается в обучение, постепенно формирующее нас в лучшую или худшую сторону.

В разных случаях это наследие, продукт того, чему мы научились, отражается на нашем духе, чтобы противостоять ежедневным требованиям. Многие переживания могут служить толчком, стимулирующим привычный путь; но иногда происходит обратное, и переживания напоминают большие бетонные плиты, которые ограничивают и мешают ежедневному паломничеству. Вес этих плит обусловлен не их массой или объемом, эта тяжесть проявляется в моральном состоянии субъекта, которое можно наблюдать в человеке по тому, как он относится к повседневным делам, то есть в пессимизме или позитивизме перед лицом жизни. Эта эмоциональная реакция может в равной степени ограничивать или усиливать мотивацию к тому образу жизни, который человек ведет.

Эта книга призвана привести читателя к своеобразной конфронтации с самим собой, чтобы он смог спросить себя, не выживает ли он в жизни благодаря безнадежности, которой научился за долгие годы. Сколько раз вы жаловались на все, что вам нужно сделать, и утверждали, что времени не хватает? Вы когда-нибудь чувствовали вину за то, что не успели выполнить все запланированные дела?

Обсуждаемые здесь вопросы тесно связаны с собственной динамикой. Еще лучше то, что это чтение сопровождается практическими предложениями, которые легко применить немедленно, чтобы после этого возможного использования получить ресурсы или навыки, которые облегчают и позволяют развиваться сначала как личности, а после этого - получать удовольствие от того, что делаешь. Цель книги - предоставить инструменты для личного преодоления, чтобы читатель мог контролировать все те действия, которые присущи ему самому. То есть получить доступ к импульсу силы и сущности читателя и воспользоваться им, а в рамках этого импульса повысить самопознание и самоуважение, чтобы умилостивить заботу о себе, и таким образом постепенно достичь усвоения понятия "адаптация", чтобы оно переросло в константу, которую необходимо сохранять, чтобы системно и длительно адаптироваться к собственному существованию.

Предложение и первоначальный подход

Основной подход этого документа заключается в том, чтобы рассмотреть с точки зрения рассуждений важность как социального, так и эмпирического обучения.[1] То есть с

---

[1] Экспериментальное обучение - это не просто инструмент, это философия образования взрослых, основанная на принципе, что люди лучше всего учатся, когда вступают в непосредственный контакт со своим собственным

конфигурации обычного способа рассуждения, который начинается в семейном ядре через сосуществование между братьями, кузенами, дядями, тетями, дядями, родственниками и т. д. И после этого сосуществования закладываются основы того, что впоследствии станет платформой для социального обучения. Эти две области континуума преподавания и обучения закладывают структуру для развития социальных навыков, которые позволяют нам противостоять и разрешать постоянные события, связанные с существованием и движением по жизни. Стоит отметить, что различные учения и обучение сопровождаются эмоциями и ситуациями, которые трудно предотвратить; многие из этих учений получены естественным путем или через опыт, другие - определенным образом через формальное или школьное обучение, и значительная часть этих учений также формируется в первичном семейном ядре, а некоторые другие приходят из социальной сферы.

Все это обучение позволяет сталкиваться и разрешать в большинстве случаев обычные ситуации, являющиеся частью человеческой жизни, которые во многих случаях обычно разрешаются эффективно, но в некоторых других случаях такого же уровня эффективности не достигается, и тогда возникает чувство неудовлетворенности или раздражения, чувство, проявляющееся в недовольстве, нетерпении или досаде. Поэтому эмоции, которые являются совершенно естественными, могут стать привычными, то есть люди привыкают жить с чувством неудовлетворенности и дискомфорта, стоически полагая[2] , что так и должно быть. Следовательно, предполагается, что люди становятся сильными и уравновешенными перед лицом несчастья быть недовольными собой.

Однако такое, на первый взгляд, некомфортное поведение позволяет человеку набраться сил, которые приобретаются со временем и, в свою очередь, отражаются в характере. Характер определяется как совокупность качеств или обстоятельств человека или группы людей, которые отличают их от других по образу жизни или действиям. Таким образом, характер становится структурой, которая отличает и индивидуализирует человека, а это, в свою очередь, способствует способности мыслить[3] и действовать в одиночку.

Парадоксы и конфликты "Быть собой".

Однако эта возможность осмелиться быть самим собой, как ни парадоксально, с одной стороны, способствует тому, что человек чувствует себя сильным и защищенным в социальной среде, а с другой - приводит к конфликтам; как утверждает Альберт Бандура[4] в своей книге "Социальное *обучение и развитие личности"* (Bandura A.1963 *Social learning and personality development*), значительная часть обучения социальному поведению происходит путем подражания. Иными словами, значительная часть моделей поведения обусловлена преимущественно социальным аспектом; следовательно, многие из принятых моделей поведения не являются наиболее подходящими для личности субъекта.

Парадокс заключается в том, что в целом человек - это индивид, пропитанный социальным обучением; то есть он не является самим собой по сути,[5] но только в присутствии.[6] И конфликт становится очевидным через потребность быть самим собой и в сущности, поскольку это проявляется в большей Я-концепции; поэтому чем больше человек дистанцируется от

опытом и переживаниями.

[2] Сильный, уравновешенный перед лицом несчастья. (http://buscon.rae.es/draeI/)

[3] Размышлять о чем-либо с намерением или глубиной (http://buscon.rae.es/draeI/)
Взаимный детерминизм: мир и поведение человека обуславливают друг друга (http://www.psicologia-online.com/ebooks).

[5] То, что составляет природу вещей, то, что является постоянным и неизменным в них (http://buscon.rae.es/draeI/).

[6] Размер тела, форма тела и нрав *(http://buscon.rae.es/draeI/)*

сущности и стремится к отчуждению,[7] тем больше он отдаляется от собственной реальности, и, следовательно, тем больше он страдает из-за отдаленности, которую он испытывает по отношению к себе. Конкретно, предпосылка такова: чем больше человек пытается действовать и быть таким, как диктует общество, тем менее счастлив он будет, поскольку в первую очередь ориентируется на других; поэтому субъект становится недоволен собой и окружающей средой, поскольку в конечном итоге очень сложно быть самодовольным (быть и жить, отдавая предпочтение сущности), и в равной степени отдавать обществу (быть и жить в присутствии).

В этом сценарии человек может защитить свою сущность только до тех пор, пока он не социализируется, поскольку это единственный способ сохранить свой атрибут. Но теперь, если мы рассмотрим другую теоретическую позицию, связанную с базовыми потребностями, где Абрахам Маслоу[8] (1943), утверждает, что человеку для своего развития необходимо быть частью общества или развивать чувство принадлежности;[9] и это же относится к тому, чтобы быть принятым и, следовательно, социализироваться, чтобы достичь в этом же смысле возможной социальной самореализации.

Таким образом, мы имеем разветвление между потребностью быть индивидуальностью и, с другой стороны, социальным взаимодействием в среде и контексте в поисках самореализации. Это, следовательно, поддерживает актуальность парадокса, который отражается в возникновении конфликта, и как следствие этого порыва, проявляется изменение между приоритетами, которые должны быть удовлетворены (с одной стороны, удовлетворить себя, а с другой - быть частью общества, чтобы самореализоваться). Это заставляет его думать и действовать в терминах социального, а не индивидуального, что приводит к ряду недифференцированных моделей поведения между тем, что удовлетворяет его самого, и тем, что удовлетворяет его социально. Столкнувшись с такой дилеммой, человек решает ее, повторяя действия в различных сценариях своего развития, не делая различия между поведением, способствующим индивидуальному развитию, и поведением, способствующим социальному прогрессу.

Модифицируйте, не меняйте!

Поэтому нет необходимости меняться, так как субъект функционирует адекватно, только он/она не осознает, что существуют модели поведения, стимулирующие просоциальное развитие, и модели поведения, способствующие развитию индивидуальности, что не делает необходимым отказ от социального.

Именно поэтому я считаю уместным с самого начала предложить идею модификации, а не изменения, поскольку изменение подразумевает отказ от моделей поведения, которые в социальной среде могут быть уместными, но в личных ситуациях таковыми не являются. И тогда это снова повлечет за собой эмоциональную перестройку, которая не способствует личному благополучию. Поэтому предложение состоит только в модификации, для чего необходимо сначала проанализировать, какие модели поведения, которые человек демонстрирует, эффективны для укрепления самосознания, а какие репертуары в социальной сфере нуждаются в модификации. Другими словами, модификация больше не подразумевает отказ от себя, а только приспособление, и при этом эмоциональная реакция уже не будет такой

---

[7] Психическое состояние, характеризующееся потерей чувства самоидентичности (http://buscon.rae.es/draeI/)

[8] Абрахам Гарольд Маслоу (Бруклин, Нью-Йорк, 1 апреля 1908 - 8 июня 1970, Пало-Альто, Калифорния) - американский психолог, известный как один из основателей и ведущих представителей гуманистической психологии, психологического течения, постулирующего существование базовой человеческой тенденции к психическому здоровью, которая проявляется в виде непрерывных процессов стремления к самоактуализации и самореализации (http://es.wikipedia.org/wiki).

[9] Факт или обстоятельство принадлежности к какому-либо целому, например, к классу, группе, сообществу, учреждению и т.д. (http://buscon.rae.es/draeI/).

интенсивной; следовательно, вероятность адаптации увеличивается, что делает ее более осуществимой.

Концептуализация системного повторного подхода.

Ключевой элемент, на который следует обратить внимание, - это занятость времени: на какие действия человек обычно тратит свое время, сколько времени он тратит на выполнение определенной задачи, устраивает ли его ритм жизни, ведет ли он к тому, чего он действительно хочет, тот ли это образ жизни, который он хочет, и, наконец, что можно сделать, чтобы переориентировать свое существование?

Истоки концептуализации этого предложения заключаются в сосредоточении внимания на двух перспективах, которые динамично переплетаются с человеком и которые постоянно ориентируют, определяют, мотивируют или ограничивают его задачи.

Эти два аспекта исходят из когнитивной/поведенческой перспективы. Первая связана с восприятием прошлого, настоящего и будущего, которое каждый человек приобретает по мере жизни и которое часто зависит от событий. Таким образом, если учесть, что для субъекта значимым является прожитый опыт, поскольку он может переживать что-то приятное или неприятное большое количество раз, и в обоих случаях у него возникает фиксация, положительная или отрицательная; как следствие, многие из нынешних переживаний будут оцениваться скорее с точки зрения прошлого, чем с точки зрения прожитого настоящего; Таким образом, эти прошлые события, независимо от того, как они были прожиты, заставляют человека смотреть на будущее либо оптимистично, либо пессимистично, и, скорее всего, он будет пытаться жить настоящим, исправляя или избегая прошлого, а значит, оно не соответствует настоящему.

Этот первый эмпирический аспект можно интерпретировать, перефразируя некоторых теоретиков личности, которые утверждают, что значительная часть людей живет, фиксируясь на прошлом, и поэтому проявляет сопротивление по отношению к настоящему; Есть и те, кто находит смысл жизни в этом мучительном прошлом, и те, кто обладает телеологическим видением, где события прошлого определяют их настоящее и, следовательно, их мотивацию в жизни; и те, кто строит свою стимуляцию настоящего действия на основе угождения другим, подстраиваясь под исполнение поведенческих архетипов, которые позволяют им быть принятыми другими.

Таким образом, во многих случаях деятельность, осуществляемая в настоящем времени, тесно связана с прошлым, и в этом же настоящем она направлена на формирование будущего.

К этим соображениям времени обычно приписываются эмоциональные нюансы, которые обрамляют обычные действия, выполняемые человеком. Это подводит нас ко второму соображению, которое теперь носит поведенческий характер, то есть в данном случае выполняемые действия также провоцируют эмоции при их выполнении. Во-первых, предыдущий опыт активирует эмоции и в той же степени когнитивные флуктуации, поскольку много раз может быть пережито драматическое переживание; однако если субъект не придает переживанию большого значения, то эмоции не будут столь интенсивными, но, напротив, если к переживанию добавляется драматизм и интенсивность, то эмоции будут более интенсивными. Этого будет достаточно, чтобы обозначить и обусловить определенное поведение и тем самым вызвать ассоциацию между эмоцией и поведением.

Следовательно, если приятная эмоция связана с определенной деятельностью, например:

молодой человек, получивший положительное подкрепление в начале школьных лет, скорее всего, будет наслаждаться университетской деятельностью, которая, как предполагается, будет более требовательной сейчас, и это не будет препятствием для того, чтобы наслаждаться и быть эффективным в этой деятельности; но теперь давайте посмотрим, как человеку, который был вынужден работать в детстве из-за условий, которые преобладали дома, скорее всего, не понравится поведение, связанное с работой сейчас, в настоящем времени. На самом деле возможности для такого поведения многообразны и находятся в бесконечных комбинациях. Суть этого подхода заключается в том, что по мере хронологического взросления человек неизменно взрослеет и когнитивно; таким образом, это позволяет ему постепенно наращивать зоны роста, которые позволят ему использовать свои личные ресурсы и справляться с требованиями социальной среды, и в этом же смысле он может быть очень эффективным в одних областях и дефицитарным в других. Эта динамика эффективности-дефицита, несомненно, будет определяться типом прожитого опыта, и во многих случаях различные виды деятельности, которые развиваются, будут направлены скорее на то, чтобы забыть прошлое или построить будущее, тем самым заставляя жить настоящим, не подвергая его сомнению.

Системный анализ человеческого развития

Давайте рассмотрим вышесказанное таким образом, учитывая, что более подробно оно будет рассмотрено позднее; однако для прояснения этой идеи я считаю уместным вернуться к ней в данный момент.

Итак, давайте посмотрим, что с этой точки зрения человеку для его экзистенциального развития необходимо странствовать в различных пространствах или системах, и таковыми являются:

Личностная система: связана с развитием самости; в этом смысле она подразумевает некоторые измерения роста, которые, как и области, будут рассматриваться по главам. Однако для целей описания они будут названы: когнитивное, аффективное и духовное измерения.

Семейная система: фокусируется на ресурсах, предоставляемых семьей человеку, ресурсах, которые иногда благоприятствуют, а в других случаях препятствуют или ограничивают его деятельность в других областях.

Аффективная система: эта часть областей относится не только к тому, как дается привязанность, но и к тому, как она принимается. Иногда дарить ласку очень приятно, поскольку это ощущение вызывает чувство удовольствия, но во многих других случаях человек не знает, как получить ее в равной степени; и это может выражаться в чувстве дискомфорта, когда человек не считает себя достойным такого знака признательности. Поэтому развитие этой области также требует внимания.

Социальная система: она рассматривается исходя из врожденной предпосылки человека, обладающего стайными характеристиками; таким образом, мы имеем, что социализация - это не просто поиск, это необходимость.

Академическая система: она тесно связана с когнитивной и, независимо от полученного школьного образования, служит для того, чтобы справляться с различными повседневными потребностями, будь то связанные с аффективной, рабочей, аффективной и социальной сферами, а также другими. В этом разделе мы сосредоточимся на тех типах рассуждений, которые позволяют нам сталкиваться с повседневными ситуациями и разрешать их.

Игровая система: это относится к естественной потребности каждого из нас веселиться; на самом деле известно, что такая деятельность способствует выделению серотонина в организме человека, а это само по себе способствует эмоциональному благополучию.

Сексуальная система: она рассматривается не только в генитальном плане, но и закрепляется через чувствительность и уважение к себе и другим. На этом этапе она связана с аффективной частью, но здесь она ориентирована на ощущения и действия, связанные с сексуальным, поскольку аффективная может быть закреплена с друзьями и незнакомцами, а сексуальная - только с людьми, имеющими доступ к интимной проземике.

Система физической активации: способствует выделению эндорфинов, которые вызывают чувство оптимизма и активизируют работу мозга.

Духовная система: будет рассматриваться как природная бодрость и добродетель, которая побуждает и укрепляет тело к действию; то есть эта область развития тесно связана с областью личности, только в этой части включается своего рода мандат, где слова: почему, я хочу, я могу и я должен, приобретают практический и ориентированный смысл.

Система работы: предполагает, помимо прочего, выполнение продуктивной деятельности, которая позволяет после ее выполнения генерировать экономические и часто эмоциональные ресурсы. Это основано на удовлетворении, которое может быть вызвано выполненной работой.

Разум и познание / Поведение и отношение

Теперь, когда две перспективы хорошо концептуализированы (когнитивная = опыт прошлого-настоящего-будущего и поведенческая = развитие по областям), при таком подходе возможно, что кто-то ориентирован с большими усилиями на развитие, например, рабочей области и, следовательно, пренебрегает своей семьей и аффективной областью. Их ориентацию на работу можно понять из того, что их семейный опыт был не совсем приятным, и тогда субъект укрывается в работе как форме решения проблемы прошлого, когда в действительности это ничего не решает, учитывая, что то, что они пережили, было в значительной степени обусловлено определенными обстоятельствами и сценарием и даже было пережито с когнитивными атрибутами, которыми они не обладали в то время, и что теперь, при более благоприятных условиях, нужно не решать проблему прошлого, а смотреть в лицо настоящему, и для этого им необходимо обновить свое самосознание.

Для этого необходимо признать, что многие из ситуаций, которые могли быть неприятными и которые в разных случаях определяют и обусловливают нынешние ситуации, не могут быть решены путем укрытия в одной области; напротив, в той степени, в какой человек осознает потенциал развития себя во всех его системах, развивать себя будет более назидательно, чем созерцать себя в бесплодном прошлом, которое уже невозможно изменить. Однако при таком ограничении можно переосмыслить настоящее, заменив восприятие прошлых событий обновленным восприятием.

Таким образом, цель моего предложения - проанализировать когниции и поведение, которые являются продуктом прошлого опыта и которые в определенный момент дисфункционально структурируют систему убеждений, рассуждений и поведения[10] и системно переосмыслить их в функциональном ключе[11].

По этой причине, а также потому, что любое письмо должно иметь порядок, поскольку только так можно найти практический и полезный смысл, настоящее предложение было разделено на четыре оси, которые будут развиваться особым образом, а затем связаны между собой, чтобы конкретизировать основную идею. Каждое направление имеет свои особенности развития, и каждое сопровождается профессиональным, педагогическим и терапевтическим опытом, анекдотами людей, пожелавших поделиться своим опытом, и клиническими случаями,

---

[10] Нарушение функционирования чего-либо или его функции (http://buscon.rae.es/draeI)
[11] Сказано о произведении или технике: Эффективно подходит для своей цели (http://buscon.rae.es/draeI)

которые отражают важность системной перенастройки действующих лиц.

Оси, к которым относится это предложение, следующие:

- **Системный анализ поведенческого репертуара и последствий**
- **Определение и развитие физического и психического здоровья**
- **Измерения человеческого существа (гуманистический подход)**
- **Системные события**

Наконец, главное намерение - научиться наблюдать за собой с четырех точек зрения развития и попытаться, насколько это возможно, дать ориентиры сначала для самонаблюдения, затем для анализа и, наконец, для включения возможных новых моделей действий, позволяющих более гармонично сосуществовать с самим собой; и, прежде всего, не ограничивать себя и понять, что, желая чего-то достичь, нужно меняться, поскольку многое из того, чем человек обладает, обусловлено именно способом существования и действия. Поэтому не стоит отказываться от всего, что является личной историей, ведь на ее основе можно было стать тем, кто есть, а значит, и достичь того, что сейчас достойно и вызывает гордость. Точно так же можно отсеять часть того, что способствует личностному росту, и, просто изменив шаблоны и модели действий, сохранить видение и перенаправить миссию полезности и вклада в эту жизнь.

Глава 1

Системный анализ поведенческого репертуара и последствий

В этой первой главе мы хотим совершить экскурс в историю, чтобы показать динамику обычного жизненного пути. Здесь будет описана обычная история, похожая на истории многих других людей. Сходство, вероятно, не полное, но, скорее всего, некоторые отрывки из нее могут быть похожи на ваш собственный опыт. Основная цель этого повествования - показать, как во многих случаях возникают ситуации, требующие решения, и как из этого кажущегося "простого действия" возникают непредвиденные обстоятельства, которые могут вызвать изменения не только в отношениях с другими людьми, но и эмоциональные изменения, затрудняющие адекватное восприятие нашей реальности, которая была построена с целью достижения стабильности, способной обеспечить нам безопасность, позволяющую переносить экономические, эмоциональные, семейные, рабочие и т. д. тяготы.

Во многих случаях это чувство безопасности может быть изменено множеством событий, ожидаемых и неожиданных, приятных и неприятных, независимо от тех или иных. Справиться с повседневностью неизменно заставляет выбор, и именно в этом смысле сделанный выбор имеет тенденцию распространяться и оставаться с нами во все времена. Таким образом, данное повествование призвано показать системную важность решений и то, как они заставляют постоянно корректировать возникающие обстоятельства.

Это история 42-летнего взрослого женатого мужчины с тремя детьми, которые находятся в подростковом возрасте. У него напряженный образ жизни, поскольку он постоянно путешествует по работе. Однако, несмотря на всю эту динамичность работы и столкнувшись с возможностью неопределенного будущего на своем рабочем месте, он решил возобновить свое профессиональное обучение. Для этого он поступил в высшее учебное заведение, чтобы получить ученую степень, полагая, что этот шаг даст ему возможность в случае потери работы получить знания, позволяющие искать другой вариант и не зависеть только от своей нынешней работы. Однако последствия потери работы были не столь велики, поскольку его жена работала в компании, которая обеспечивала ей достаточную зарплату, позволяющую на время поддержать безработного мужа. Муж находился в конце своей профессиональной карьеры, и именно на церемонии вручения дипломов начинается повествование.

В семнадцать часов начнется торжественное закрытие года и церемония вручения дипломов. Для одних этот день означал нечто долгожданное и, главное, долгожданное. А для других это было просто очередное событие, ведь именно оно символизировало великий поиск и вершину великой мечты. Вот почему это событие вызвало несколько странное ощущение.

Это чувство находилось где-то между крайним волнением и глубокой неуверенностью. Оба ощущения он определенно испытывал раньше на протяжении многих лет, более того, в сорок два года он уже в значительной степени познал чувство счастья, и одно из этих пиковых ощущений, которое все еще оставалось, касалось дня их свадьбы. Событие, которое, хотя, возможно, и было преждевременным, поскольку обоим тогда было всего по двадцать лет и они все еще учились в университете, но оба относились к этому с пониманием; А если добавить к этому деятельность, связанную с академической и социальной активностью молодых людей в период становления, и если добавить к этому деятельность, связанную с официальными отношениями брака, где ответственность возрастает многократно, потому что теперь они также должны были участвовать в процессе знакомства друг с другом, а также в работе и академических обязательствах, и добавить эти элементы, то можно увидеть, что увеличение ответственности проявляется в экспоненциальной форме.[14]

Так что, по правде говоря, они даже не могли представить себе масштабы помолвки, которую заключили вместе и по обоюдному согласию. Оба молодых человека имели полное и надлежащее согласие своих родителей, и этот факт уже в значительной степени предполагал наличие у них определенных симпатий. Симпатии, которые ослабляли эмоциональное воздействие некоторых предзнаменований, которые, конечно, не были полностью благоприятными, но действовали скорее как стимул, чем как источник сопротивления. Некоторые из этих предсказаний заключались в предположении, что молодая жена уже беременна; другое предположение заключалось в том, что они, вероятно, недолго останутся парой; и в другом смысле, что зарождающиеся супружеские отношения могут помешать завершению карьеры. Короче говоря, общественные суждения были не в их пользу, но, как ни парадоксально, это само по себе было отличным стимулом для них обоих.

У обоих было много общих интересов и вкусов, поэтому в этой атмосфере сосуществования, знания, незнания и взаимного переосмысления им удалось остаться вместе. После двух лет совместного проживания в их жизни появилась прекрасная девочка с кудрявыми волосами и потрясающей улыбкой, которая принесла радость и свет в жизнь двух молодых влюбленных. Появление дочери было долгожданным и долгожданным. Но для пары эмансипированных молодых людей, которые пытались действовать и быть взрослыми, это означало нарушение их жизни, ведь вместе с этим драгоценным даром на сцену вышли и другие обязательства, которые, видимо, в то время их не так уж и волновали... Полагаю, что перед лицом этого тот факт, что они были молоды, сыграл в пользу того, что они были молоды. Иными словами, в их отношении все еще присутствовала сущность молодости со взрослыми реалиями.

Еще один важный факт: природа наделила их великое сокровище особой благодатью, ведь оно регулярно переходило из рук в руки как с незнакомцами, так и с друзьями. Это доставляло им огромное удовлетворение и гордость. И в какой-то степени эта симпатия означала, что другие хотели остаться с их дочерью, что значительно облегчало бремя и ответственность родительских обязанностей, поскольку удовлетворение и радость от этого Божьего дара были гораздо выше, чем экономические превратности молодой семьи.

Теперь вернемся к ощущениям, испытанным во время выпуска. Они были очень похожи на зарождающееся чувство родительства. Но сейчас я также ощущал неопределенность. То есть большой вопросительный знак, поскольку он задавался вопросом: что последует за этим? Для него было очень ново ощущать нечто столь приятное и удовлетворяющее и в то же время полное сомнений.

Это завершающее событие означало для него кульминацию двадцати лет ошибок, неверных решений, отвлечений, демотиваций и в значительной степени волевых недоработок. Ему потребовалось двадцать лет, чтобы окончательно завершить профессиональную карьеру; независимо от причин и оправданий, ему потребовалось два десятилетия, чтобы найти и закрепить свою профессиональную карьеру. За это время он познакомился с тремя несхожими дисциплинами знаний, только представьте: деловые отношения, то есть принципы менеджмента, бухгалтерский учет и маркетинг. Да, очень интересные области знаний! Но в итоге, учитывая стремление и энергичность молодого человека в возрасте около двадцати лет, он стал уделять больше времени развитию спортивных, а не академических навыков. И в конечном итоге эта практика оказалась загрязняющим фактором, в результате чего он стал отвлекаться и пренебрегать академическими требованиями, которые в конечном итоге и стали основной причиной его обучения в университете. Именно эти отвлекающие факторы привели

---

[14] От *exponent* adj. Сказано о росте: темп которого увеличивается все быстрее и быстрее (http://buscon.rae.es/draeI).

к тому, что он полностью пренебрег требованиями университета, и следствием этого стала плохая успеваемость.

Способом разрешения этого конфликта интересов было простое бегство. Другими словами, он временно отказался от участия в программе, пытаясь частично исправить свою академическую некомпетентность, и в то же время дал своеобразное обещание продолжить обучение. Реальная ситуация была своего рода самосаботажем. Это было что-то вроде прятания себя от собственной некомпетентности; то есть уровень эффективности в отношении школы был не совсем эффективным, и он уже знал об этом, но не признавал, и таким образом спорт позволил ему смягчить когнитивный диссонанс[15] (*Festinger 1957*). В частности, речь идет о несоответствии или несоразмерности того, что естественно должно быть посвящено учебе; таким образом, пропорционально он уделял больше времени физической подготовке и меньше - когнитивной.

Эта тенденция в конце концов привела к физическому и психическому износу, и это несоответствие отразилось в диссонансе (от латинского *dissonantia*); а способ его устранения, проще говоря, заключался в согласии (от латинского *consonantia*), через отношения соответствия, то есть без школьных обязанностей, которые и были корнем диссонанса в первую очередь. Способ восприятия диссонанса - это чувство беспокойства, которое постепенно нарастает и выражается в изменении функционирования организма, очень похожее на невротические симптомы, такие как трудности с концентрацией внимания и изменения настроения; естественным образом человек пытается устранить это чувство (независимо от последствий), фактически поиск направлен на облегчение симптома, не задумываясь о результатах, которые это облегчение влечет за собой, и действие заключается в предоставлении себе временного отпуска.

Такой тип "решения" ситуации обычно очень полезен, поскольку быстро снимает эмоциональный дискомфорт, вызванный неадекватным разрешением конфликта, и, естественно, способствует оправданному или обоснованному избеганию; а значит, снимает эмоциональный дискомфорт от осознания того, что после трех лет изучения профессии им наконец удалось получить некоторые знания, но не достичь профессиональной кульминации.

Вернувшись к поискам и уже решив бежать от изучения деловых отношений, он решил продолжить обучение и поступил в ветеринарную школу. Теперь он оставил в стороне изучение административной, бухгалтерской и рыночной логики. На этот раз его целью была ветеринария. Другая среда и другая группа однокурсников, которая, кстати, поначалу очень понравилась, так как в центре внимания были разговоры о животных, наблюдение за табунами, лошадьми, собаками, кошками и т.д. Общение, царившее между всеми товарищами, очень напоминало деревенскую атмосферу (все друг друга знают, а значит, много знакомых).

Анекдоты, шутки, смех, сопровождаемый хорошим количеством пива, сделали эти моменты очень приятными. Атмосфера очень располагала к беззаботности. И тем более на полидипсию, то есть на утоление жажды не водой, а пивом. Переводы в центр ветеринарных исследований и постоянные ежедневные встречи в окружении такого веселья вызывали у него нечто вроде угрызений совести. Это было еще одно чувство эмоционального дискомфорта, очень похожее на то, что он уже испытал в своем первом академическом приключении; к этому добавилось то, что тогда, во время обычного перевода в ветеринарную школу (которая, кстати, находилась в сорока километрах от его родных мест), произошла автомобильная авария с

---

[15] Это понятие, называемое диссонансом, означает внутреннее напряжение или дисгармонию в системе идей, убеждений, эмоций и установок (когниций), которые человек воспринимает, имея две противоречивые мысли одновременно, или поведение, противоречащее его убеждениям. Иными словами, этот термин относится к воспринимаемой несовместимости двух одновременных когниций.

одноклассниками из той же школы, и в этом происшествии погибли два одноклассника. Это снова стало для него своего рода предупреждением о новом образе жизни, который он приобрел. Пристрастие к выпивке и ежедневные расходы на дорогу заставили его отказаться от желания снова учиться через девять месяцев. Только теперь срок его ожидания растянулся на год, и он отказался от всякой попытки учиться.

Позже, в начале следующего учебного года, он снова поступил в школу более высокого уровня, только на этот раз в своей родной стране, и, воспользовавшись некоторыми знаниями английского языка, которые у него были ранее, он поступил в высшую школу туризма. В этот момент он начинает понимать, что каждая школьная специальность имеет свои особенности, и школа туризма не может быть исключением. И без всякого уничижительного смысла он обнаруживает, что, как и в других школах, здесь царило товарищество, но с тенденцией к эксгибиционизму и с заметной расслабленностью в отношении к учебе со стороны преподавателей и студентов, рассматриваемой с точки зрения строгой помощи и обязательности формального чтения. Это вызывало у него нечто вроде смешанных чувств, или, как это называют в психологии, дихотомии или амбивалентности, состояния души, в котором сосуществуют две антагонистические эмоции.

В первом пережитом чувстве ему понравилась школьная сцена, но его жесткие взгляды на обязанность учиться не одобряли ее. Возможно, потому, что его успеваемость не соответствовала уровню мужчины с супружескими, а значит, партнерскими и рабочими обязанностями. Наконец, ответственная сторона берет верх, и он решает отделить себя от желания стать профессионалом и решает подождать и найти то, что действительно соответствует его академическим ожиданиям. На самом деле решение отказаться от поиска вызывает у него чувство дискомфорта, которое заставляет его чувствовать себя ограниченным и в какой-то степени разочарованным; он смотрит вокруг, и многие его знакомые уже завершили свое обучение, в то время как он все еще пытается понять, какую профессию ему следует изучать. В общей сложности этот период ожидания в поисках академической консолидации занял у него всего пятнадцать лет; именно так, пятнадцать лет ему понадобилось, чтобы принять решение о завершении профессионального образования.

В этот период его жизнь была довольно динамичной, полагаю, как и жизнь многих, кто, подобно ему, пытается реализовать мечту, догадку или занят продуктивной деятельностью, чтобы свести концы с концами в финансовом плане, потому что у них уже есть конкретные и неотложные обязанности. В этот момент стоит задуматься о тех людях, которые в силу непродуманных ситуаций, являющихся продуктом естественной стремительности всех неопытных молодых людей, которые должны уметь справляться с запросами и требованиями взрослой жизни, и в силу различных обстоятельств попадают в ситуации, предполагающие большие дозы ответственности, и неожиданно оказываются вовлеченными в события, требующие много размышлений для их адекватного решения. Хотя именно эта способность анализировать и оценивать приобретается с опытом, но также и с умственной зрелостью, которая приходит с взрослением, и невозможностью интегрировать ее постепенно в течение всей жизни; таким образом, появляется эмансипация (от латинского *emancipare*), что означает: освобождение от родительской власти или опеки; что, проще говоря, означает, что родители перестают принимать решения в отношении молодых людей, и теперь они берут на себя полную и абсолютную ответственность за свои действия. В конечном итоге этот процесс является естественным ходом эволюции семьи, но для того, чтобы полностью освободиться от опеки, человек должен показать, что он подготовлен в своей ментальной, эмоциональной и мировоззренческой структуре, что достигается упорством и постоянной привязанностью с течением времени, и благодаря этому ориентированному развитию можно сказать, что субъект теперь готов к большим вызовам, и с полученным опытом может вести взрослую жизнь, и если он/она пожелает, соединить свою жизнь с другой и создать семью с этим союзом.

Те люди, которые в силу множества причин избегают значительной части этого жизненного процесса и изменяют его вероятностную траекторию, впоследствии порождают мировоззренческую и эмоциональную нестабильность с различными возможностями преодоления. С одной стороны, есть вероятность того, что такое поведение может проявиться в усилении собственных возможностей, что способствует развитию личности. С другой стороны, та же нестабильность может выражаться в дисфункциональном поведении, которое не способствует личностному и тем более семейному развитию; таким образом, участие в сценариях, не соответствующих хронологическому возрасту, может в значительном числе случаев изменить и усилить потенциал и в той же степени изменить и ограничить потенциал. В обоих случаях существует одна константа - необратимость, к лучшему или к худшему.[16] Это означает, что уже невозможно повернуть назад, и поэтому единственное, что возможно, - это энтропия, которая является не более чем мерой неопределенности, существующей перед лицом набора сообщений, и среди этих сообщений главным и наиболее неотвратимым является сообщение о необходимости выживать и двигаться вперед с новыми обязанностями, даже если у нас нет ресурсов для этого.

Таким образом, срочность действий преобладает над срочностью разума. Это часто вызывает напряжение, которое необходимо снизить, так как сумма этих напряжений может вызвать серьезные изменения, которые в конечном итоге приводят к психическим патологиям; именно поэтому значительная часть продуктивного времени вкладывается в поведение, которое снимает это напряжение. К сожалению, в рамках этой эмиссии не наблюдается, какое поведение является функциональным, а какое - дисфункциональным; в итоге, нерефлексивно и без разбора, субъекты вовлекаются в рутины, основной целью которых является снижение напряжения, вызванного определенными ситуациями, но которые не имеют отношения к другим сценариям, и, учитывая эффективность, достигнутую ранее в преодолении определенной ситуации, ошибочно предполагается, что одно и то же решение будет работать во всех контекстах.

Размышляя о том, насколько динамичной и загадочной может быть сама жизнь, автор обращает внимание на собственное существование; и теперь он может осознать свой собственный процесс существования, который, возможно, был очень насыщенным, поскольку в течение пятнадцати лет он жил в трех разных городах, работал на восьми работах, и в это же время родились еще двое его детей. Кроме того, он поддерживал прочные отношения со своим партнером, а также привязывался и отстранялся от случайных друзей и коллег по работе. Учитывая все это, можно с уверенностью сказать, что она пережила сезон значительного роста в измерениях человеческого существа. Измерения, которые будут рассмотрены с должной подробностью и глубиной в соответствующем разделе.

Теперь, возвращаясь к рассказу о встрече в пять часов, той самой, которая заставила его быстро и проворно запустить весь процесс поиска и которая теперь наконец-то подошла к ожидаемому концу, он столкнулся с неотложной возможностью получить письмо от стажера. Чувства, которые он испытывал в этот момент, были несколько двойственными: с одной стороны, это было волнение и удовлетворение от предстоящего достижения, а с другой стороны, его тело демонстрировало определенный страх, поскольку он не знал, сможет ли он работать в качестве профессионала, чего, кстати, на тот момент он еще не мог сделать. Следующим шагом, который нужно было сделать и закрепить, стала сдача профессионального экзамена, который он сдал через два месяца после завершения курса и который в итоге позволил ему стать профессионалом, способным заниматься своей профессией.

Со временем стали очевидны ситуации, с которыми он столкнулся после окончания профессионального обучения, и заключались они в том, что компетенций, которыми он

---

[16] Пригожин И. 1993 (*Законы хаоса*)

обладал на тот момент, было недостаточно для решения различных проблем пациентов, которые были очень сложными и разнообразными по своему происхождению. Все эти ситуации открывали перед ним большие и щедрые возможности для личностного и профессионального роста. Пациенты, с которыми он встречался в месте, куда его направили на социальную службу, были очень разными и отличались большим разнообразием патологий. Он пробыл там около девяти месяцев, и за это время смог развить и обогатить себя личностно, морально, социально и профессионально. В области психологии он был единственным командированным стажером, поэтому ему посчастливилось получать специализированное внимание и наставничество от заведующего отделением той же больницы. На самом деле он чувствовал себя очень удачливым благодаря этому жизненному опыту, поскольку характер, твердость и знания наставника означали для нашего героя много разочарований, но, прежде всего, много знаний.

В этом контексте можно сказать, что перцептивная амбивалентность часто проявляется как константа, поскольку есть обучение и в то же время есть фрустрация (Britt and Janus 1940); давайте посмотрим на это с точки зрения теорий обучения: можно признать, что теперь человек знает то, чего не знал раньше. Поэтому легко признать, что человек научился, но не так легко признать фрустрацию, потому что фрустрация причиняет боль и дискомфорт, даже если в конце концов она принимается. Примером может служить ситуация, когда в момент выдачи диагностического заключения он выстроил его в соответствии с официальными критериями, а затем тьютор опроверг эти диагнозы и представил ему другие, как правило, очень похожие на те, которые он изучал ранее; тогда он почувствовал себя вынужденным решать и аргументировать свой предполагаемый диагноз. Следует сказать, что во многих случаях он не справлялся с аргументацией и вынужден был изменять свой первоначальный диагноз, что вызывало у него чувство досады, раздражения и разочарования. В конце концов, он понял, что раздражение было вызвано не тем, что он наставлял, а его собственной профессиональной ограниченностью; столкнувшись с реальностью, в которой он видел себя ограниченным, единственным возможным способом устранить этот дискомфорт было принять свое собственное невежество и, молчаливо согласившись с этим, получить взамен опыт обучения. Проще говоря, можно сказать, что дихотомическое отношение "обучение - фрустрация" зарождается по своей сути, поэтому и исправление должно быть в равной степени.

Устранить эту амбивалентность можно с помощью когнитивного рефрейминга, очень похожего на тот, что используется в технике рационально-эмотивной терапии (Ellis 1955); то есть система убеждений переориентируется, и за счет этого достигается смягчение видения и самовосприятия.

Обычно наш главный герой приходит на встречи рано, а эта была особенно важной. На этот раз речь шла о его выпускной церемонии, так что этот случай не стал исключением. Он прибыл на официальное место и встретил несколько знакомых лиц, которые, очевидно, не принадлежали к его группе, но тем не менее он приветствовал и обнимал их, особенно тех, кто находился рядом и кого не сопровождали члены семьи, поскольку они были слишком поглощены своими разговорами. Кто-то из помощников, кто, конечно же, не очень присутствует, подходит и спрашивает о специальности выпускника, чтобы интегрировать его в группу; выпускник, в свою очередь, испытывает чувство гордости. Сообщив друг другу об этом, они направляются к месту, куда их ранее направили и где уже расположились некоторые из их коллег.

Компаньоны поколения располагаются в нижней части зала того же заведения, рядом с главной лестницей, ведущей в театр. Поэтому можно предположить, что они войдут первыми; однако причина их размещения в самом низу обусловлена размером группы. Адъютант дает указания по протокольному акту и просит их присоединиться к своим группам. Когда они подходят к своим спутникам, их трудно узнать; тем не менее голоса и шутки подтверждают, что это действительно они, но их трудно узнать, потому что они так хорошо замаскированы, что их невозможно узнать невооруженным глазом из-за их безупречного внешнего вида и ухоженности.

Именно на таких пиковых событиях или переживаниях обычно придается должное значение личной ухоженности, и именно тогда в память о таких событиях используются хороший костюм, платье и парфюм. Но в действительности повседневный опыт насыщен значительными событиями настолько, что хорошая одежда и парфюм могут привести к празднованию, и это празднование относится к человеку, который своим жизненным призванием позволяет себе чувствовать себя востребованным и поэтому не нуждается в ожидании значительного события, чтобы отпраздновать его с помощью ухоженности.

Расположившись в алфавитном порядке по фамилиям в отведенном месте, легко заметить праздничную атмосферу. Счастье и радость очевидны, и на самом деле всеобщая общительность и дружелюбие очень живые. Здесь нет главной фигуры или лучшего среднего, есть только желание быть и жить вместе. Вы можете увидеть тех, кто раньше не общался, а теперь общается, тех, кто раньше держался в стороне, а теперь подходит ближе; атмосфера искрится и посвящена наслаждению, и именно это они и делают, наслаждаясь своим моментом, своими усилиями. Другими словами, они лаконично решили наслаждаться тем, что задумали и ради чего так старались.

Воля (*от латинского voluntas, -atis*), которая означает способность принимать решения и упорядочивать собственное поведение. Для этого человек сначала определяет, потом решает, а затем воля дает ему возможность направлять свое поведение в соответствии с определенным действием, и желание (*от латинского desidium*), которое конкретно подразумевает движение к чему-то, чего человек желает. Таким образом, воля и желание - это нечто вроде принятия решения и упорядочивания собственных действий в соответствии с тем, чего человек желает. И тут возникает вопрос: почему, если можно решить, как одеться, и таким образом проявить уважение и гордость за себя, эти моменты приурочены только к особым случаям, или можно ходить в обычной одежде без всякого события? Эта мысль приходит в голову всякий раз, когда есть возможность полюбоваться галантностью и великолепием, демонстрируемыми всеми выпускниками, которые в равной степени сопровождаются приветливым поведением, располагающим к общению. Что было бы, если бы опрятная ухоженность перестала быть уделом только саммитов? Возможно, для кого-то этот взгляд покажется поверхностным, но для других он может стать поводом для размышлений; можно вспомнить, например, пожилого человека, который осознает важность настоящего времени и больше не заботится о будущем. Конечно, для такого человека его присутствие сосредоточено в настоящем, поскольку он не вполне уверен в своем будущем. Да ладно! Дело в том, что человек не знает наверняка времени отъезда, поэтому каждое настоящее время - это единственное время, в котором он может быть и показать, что он на самом деле собой представляет. В связи с этим возникает вопрос: зачем ждать будущих моментов, если настоящее - это то, что можно прожить, а значит, и то, что можно отпраздновать? Именно в этом и заключается смысл данного предложения: я знаю, что я жив, поэтому я могу праздновать, только если у меня есть к этому воля и желание, и нет необходимости откладывать свое собственное существование.

Этот момент мысленного отступления заставляет его погрузиться в свои мысли, и внезапно и постепенно перед ним проходят образы и отрывки из пяти школьных лет; образы возникают очень быстро, и во всех них ощущения приятные, так что он в значительной степени осознает, что то, что сначала казалось пятью долгими годами, с которыми трудно примириться, на самом деле были пять приятных лет, которые трудно забыть. Внезапно его возвращают к реальности, когда его вежливо просят присоединиться к остальным товарищам в театре. Один за другим они поднимаются по лестнице, пока не оказываются на самом высоком месте, и оттуда можно посмотреть на то, что предположительно является подиумом; на нем стоит стол почета, а сзади крупными буквами написано описание мероприятия; в конце стола почета стоят два человека: женщина и мужчина, у пюпитра, ожидая, когда войдут выпускники. Женщина у пюпитра одета в официальное платье сиреневого цвета с узорами на лацкане платья, с расстояния трудно различить, что это за узоры; мужчина, напротив, одет в полный черный костюм с галстуком в тон сиреневому платью. Эти двое оживленно беседуют, я предполагаю, что они уточняют детали проведения церемонии. Внизу, с точки зрения находящегося на вершине ступеней, виднелось большое количество ступеней, теперь с перспективой вниз, у их подножия и рядом с передней частью сцены находился ряд сидений, которые, судя по золотым шнурам, свисающим с сидений, предназначались для выпускников; справа, с позиции, обращенной к главной сцене, она была полностью заполнена членами семей. Многие из присутствующих были разного возраста, и значительная часть членов семьи находилась в возбужденном состоянии; многие несли цветочные композиции, причем количество композиций было таким, что они буквально пропитались ароматом цветов.

Постепенно они спускаются вниз и доходят до мест, где будут сидеть до конца мероприятия. Главные участники заключительного мероприятия, спускаясь по ступеням, выглядят немного уставшими; на самом деле кажущаяся усталость объясняется тем, что на лицах выпускников видна некоторая усталость, а все потому, что они не перестают улыбаться и радуются не на шутку; некоторые пытаются немного расслабить лицо, но через некоторое время снова улыбаются из-за забавных комментариев. Короче говоря, очень трудно удержаться от соблазна улыбнуться, и в итоге они совершенно забывают о своей усталости.

Через несколько минут начинается церемония вручения дипломов, и они переходят к другим специальностям. Их называют по очереди, и все они получают аплодисменты присутствующих, а затем им вручают соответствующие сертификаты об обучении; некоторым вручают награды и отмечают их академические достижения.

Остальные получают лишь аплодисменты и объятия от своих учителей, и как только они берут в руки свои сертификаты, то испытывают сильные эмоции. Временами на глаза наворачиваются слезы, шутки и объятия продолжаются, теперь уже с обычными фотографическими табличками, и он снова погружается в свои мысли. Эти мысли возвращаются к началу учебы, когда он уже получил аттестат зрелости и официально выполнил требования для начала профессионального поиска, и он может вспомнить первое учебное действие, которое заключалось в покупке тетради с разделителями. Неважно, что это была за тетрадь, он помнит только то, что в ней были разделители, которые он использовал для разделения различных предметов, соответствующих первому семестру.

И вот теперь, когда у него были все необходимые элементы для начала нового академического приключения, он отправился к месту, где ему предстояло учиться. Во время пути от дома до учебного заведения его мысли были ясны, и он слушал радиопередачу, которая шла в это время. В передаче рассказывалось об эксперте по испанскому языку, и было удивительно слышать, как он разбирается в этимологическом происхождении слов и в том, как они дополняют друг друга. Дорога заняла около двадцати пяти минут, и примерно в половине седьмого он прибыл в намеченное место. Причина приезда за полчаса до начала занятий заключалась главным образом в том, что он хотел уменьшить первоначальное впечатление от входа в класс; поскольку он предполагал, что будет самым старшим учеником, а ему к тому времени исполнилось тридцать семь лет, и он считал, что уже староват для учебы, это само по себе вызывало в нем некоторую тревогу, хотя в итоге он не чувствовал себя неловко.

Он находит комнату и заходит в нее. К своему удивлению, он видит, что, как и он, другие тоже решили прийти пораньше, стараясь остаться незамеченными. Оправившись от первоначального удивления, он понимает, что в аудитории полно студентов, примерно половина от той группы, которую он предполагает. Он здоровается, бессознательно наблюдает за лицами присутствующих и понимает, что на данный момент он - единственный мужчина в комнате; Наконец, он занимает место в двух рядах от входа и четыре места в том же ряду, укладывает свои учебные сумки и поворачивается к двум оживленно болтающим спутницам, обе очень похожи по чертам лица и возрасту; они очень любезно вовлекают всех в свой разговор, который заключался в объяснении их решения учиться и изложении их ожиданий относительно того, что им предстоит. С этого момента возникает некая приверженность и взаимная поддержка, которая, кстати, сохраняется до конца процесса.

Первым предметом, который они получили, была методология исследований, и ее преподавал учитель, который, конечно, не имеет профессионального профиля специальности. Это не все воспринимают хорошо, но отношение и знания, демонстрируемые преподавателем, вместе с дидактическими ресурсами, которые она показывает, значительно снижают первоначальное воздействие, и, похоже, для многих студентов это кажется адекватным, и в конце дня никто не комментирует негативно это первое впечатление. Так началось это новое академическое приключение, приключение, которое означало жизнь с пятьюдесятью двумя преподавателями в течение пяти лет, что эквивалентно количеству предметов, составляющих степень по психологии; это же приключение включало в себя сосуществование личностей и характеров однокурсников. Вначале группа была очень большой и постепенно уменьшалась, одни объединялись и образовывали свою группу, другие отдалялись, одни вначале проявляли большие интеллектуальные способности, другие были более осторожными и сдержанными. Были и те, кто брал на себя ответственность за шутки, и те, кто задавал вопросы с большой формальностью, и те, кто с большой креативностью. Сессии длились два часа, и они действительно проходили очень быстро, по крайней мере, так казалось. Каждая сессия обычно оставляла после себя определенный опыт, и последний заключается не столько в том, чтобы узнать больше о чем-то, сколько в том, чтобы понять и осознать, что вы также учитесь у чего-то или кого-то, кто изначально не очень эмпатичен. Приобретенное осознание человеческих взаимоотношений и коммуникации очень интересно и в то же время очень сложно и разнообразно (Watzlawick 1991). И именно из этого общения исходят некоторые сообщения, которые интерпретируются в соответствии с опытом или семантическим значением, в результате чего можно испытать некоторую эмоцию, которая изначально искажена. Это подтверждают Моррис и Карнап (1985), которые считают, что для изучения человеческой коммуникации удобно разделить ее на три области: синтаксическую[17], семантическую[18] и прагматическую[17]. Основной интерес синтаксической области связан с проблемами кодирования, каналов, емкости, шума, избыточности и других статистических свойств языка. С другой стороны, в семантической области центральное место занимает значение, поскольку при использовании и передаче символов должно существовать общее соглашение между отправителем и получателем, и это соглашение состоит в том, что слово означает одно и то же для обоих. "В этом смысле любая совместно используемая информация предполагает семантическую конвенцию" (Watzlawick 1991), а в отношении человеческой коммуникации это отражается в поведении, то есть реакция, которую субъект дает на определенный тип коммуникации, неизбежно отражается в поведении, отсюда и его прагматический характер.

Таким образом, можно заметить, что человеческая коммуникация устанавливается вербально, то есть тем, что я говорю. Таким образом, паравербальным будет: как я это говорю; и, следовательно, какой частью тела я это сопровождаю, что в конечном итоге будет телесным. Теперь давайте посмотрим на процентное соотношение различных областей: вербальная - 7 %, паравербальная - 38 % и, наконец, телесная - 55 %. Как видно, индивидуальное поведение - это форма коммуникации, которая оказывает большое влияние на человеческие отношения,

---

[17] Часть грамматики, которая учит согласовывать и соединять слова для формирования предложений и выражения
(http://buscon.rae.es/draeI)

так что многое из того, что человек думает, неумолимо проявляется телесно; говоря очень просто, можно общаться, даже не выражая этого никакими словами. Таким образом, с помощью этого учения можно понять, что многие нарушения и искажения в человеческом общении в основном обусловлены прагматическим характером коммуникации.

Такой когнитивный подход позволяет понять и усвоить, что эта первая встреча в классе с одноклассниками способствовала развитию адекватного общения и побудила многих из них к сближению, а благодаря этой близости они могли расти в общении и впоследствии развивать узы дружбы и взаимной поддержки. Это общение продолжалось на протяжении всего учебного пути, и в этом же странствии они смогли пережить бесчисленные анекдоты и, прежде всего, научиться. Случайные и формальные уроки, которые в конечном итоге давали им возможность повторить то, что они усвоили. Многие предметы требовали постоянного внимания, некоторые, напротив, были более спокойными, но неизменным в них была потребность в чтении и, следовательно, в привитии привычки к формальному чтению; на самом деле, во многом благодаря модели, которую дала ему мать, он всегда любил читать. Дело в том, что одно дело - пролистать газетную статью, и совсем другое - прочитать и понять технический урок; причина очевидности в том, что технические тексты более проработаны и содержат спецификации и, прежде всего, технические термины, которые необходимо выучить, с одной стороны, потому что именно по ним сдаются экзамены в качестве доказательства обучения, а с другой - потому что они составляют основу профессии.[19]

Поэтому, получив новый статус студента университета, который он с гордостью носил и который обязывал его поддерживать постоянную дисциплину и привязанность, он был в равной степени вовлечен в работу, семейную жизнь и, в меньшей степени, общение с друзьями; что, хотя и приносило ему огромное удовлетворение, также заставляло его переориентировать свои привычки и обычаи. Иными словами, до того как он решил учиться, его распорядок дня был очень конкретным и определенным, а теперь, столкнувшись с включением еще одной задачи с очень четкими характеристиками и требованиями к его времени, он был вынужден переосмыслить свою систему жизни, поскольку она затрагивала не только его собственное существование, но и его семью, как указывается в теории систем и коммуникации (Bertalanffy 1968).

Давайте посмотрим на это с другой стороны: привычные рутины, облегчающие выполнение множества действий, по сути, являются системами (от латинского *systema, a* от греческого cuGiqua), то есть представляют собой логически связанные наборы правил или принципов по какому-либо вопросу. Таким образом, они упорядоченно соотносятся друг с другом и служат определенной цели. Таким образом, можно заметить, что обычная деятельность интегрируется в ряд видов деятельности, которые позволяют гармонично функционировать, и в результате этого обеспечивается прогресс, а значит, и рост в измерениях бытия.

Так, например, при более детальном изучении этого роста в соответствующей главе, можно сказать, что работа не только обеспечивает экономический рост, но и отражается на социальном аспекте, поскольку наряду с экономическим поиском строятся и дружеские связи; это связано с межличностными отношениями. В самом деле, начало дружбы зарождается на

---

[16] [19] Относящийся к значению слов или связанный с ним. (http://buscon.rae.es/draeI)

[17] Дисциплина, изучающая язык в его отношении к пользователям и обстоятельствам общения (http://buscon.rae.es/draeI).

основе аффективной идентификации, а путь к привилегии и сохранению этой симпатии лежит через лояльность, о которой может свидетельствовать уважение, понимание и принятие тех, кто в данный момент находится в родстве. Лояльность, таким образом, способствует сохранению законов верности и чести. Таким образом, мы видим, что работа не только приносит экономическую выгоду, но и позволяет развиваться волевым качествам, что усиливает моральное измерение.

С другой стороны, если говорить о когнитивном аспекте, то одновременно с обучением деталям выполняемой работы происходит обучение прагматическому общению, которое, как уже говорилось, соответствует телесному выражению самих коллег по работе и само по себе предполагает когнитивное развитие, то есть образование, рассматриваемое с точки зрения социального обучения, а значит, человек учится наблюдать за поведением, связанным с эмоциями, причем одни из этих эмоций индивидуального, а другие коллективного типа. Можно также обратить внимание на поведение, то есть на то, какие модели поведения являются оригинальными, а какие перенимаются, чтобы гармонизировать рабочие отношения, и заметить, что значительная часть привычных моделей поведения является продуктом социальных архетипов (Jung C. 1964). Это в значительной степени является результатом потребности в социальном одобрении (Maslow A.1943); с учетом этой серии размышлений, когда, с одной стороны, мы учимся вести себя раньше в семье, а затем воспроизводим это поведение в социальной сфере и впоследствии на рабочем месте, эта поведенческая динамика приводит к постоянному обучению, необучению и, в других случаях, повторному изучению поведенческих моделей, которые неизменно будут отражаться в нашей душе.

В частности, можно сделать вывод, что трудовая рутина включает в себя ряд определенных действий, независимо от типа выполняемой работы, и эти действия уже установлены заранее и работают гармонично, а факт включения нового вида деятельности неизменно потребует временной и профессиональной корректировки, и именно это и является целью данной работы. Какой бы минимальной ни была новая деятельность, приобретение новой привычки неизменно скажется на прежнем поведенческом репертуаре, и поэтому перед лицом предстоящей академической деятельности, которую он только что приобрел, ему потребовалось перестроить занятия, чтобы быть более эффективным в выполнении и привязанности к новому занятию.

Поскольку новая деятельность, которую он только что приобрел, требовала минимум одного-двух часов в день для ее правильного выполнения, и поскольку этот распорядок дня также включал в себя настоятельную необходимость постоянно читать различные тексты и уроки, подразумеваемые самой школьной деятельностью, последнее не было предусмотрено, но, учитывая новую ответственность, у него не было другого выбора, кроме как гармонизировать и сбалансировать использование своего времени. Кое-что, что сработало для него и оказалось очень полезным, было связано с ожиданием оценок; в этом аспекте он поставил цель не провалить ни одного предмета, и, помимо оценок, основной предпосылкой была аккредитация предметов, причем тип оценки не имел ни малейшего значения. Важно было только то, что они должны быть сданы. Такая позиция напрямую связана с дифференцированным влиянием успеха или неудачи на уровень мотивации, изученным Аткинсоном (1966), который предположил: если мотивация достижения превышает страх неудачи и успех достигнут, уровень стремления повышается и появляется желание выполнять сложные задачи. Для этого данное предложение основано на критериях нормальной работоспособности с конкретными заданиями возрастающей сложности.

Вернемся к напряженной атмосфере в театре, которая все еще была очень живой, ведь при каждой перекличке аплодировали стоя, и эти аплодисменты усиливались, когда речь шла о признании лучшего среднего балла каждого поколения. В момент, когда слушали его поколение, овация удвоилась, потому что вместе с ними двое его одноклассников получили признание за лучший средний балл; он заранее знал, что не станет объектом таких заслуг, но, по крайней мере, сможет услышать свое имя. И вот, наконец, он слышит его, буквально катапультируясь к трибуне, чтобы получить свой долгожданный аттестат. Он старается держать себя в руках и делает вид, что не проявляет особых эмоций, на самом же деле он потрясен атмосферой и широко улыбается; вдалеке слышится шум и одобрительные возгласы, и на самом деле эти возгласы принадлежат его семье, они в свою очередь гордятся достигнутой целью и делают ее своей собственной.

Эта сцена доставила ему огромное удовольствие, а главное - вызвала чувство благодарности ко всем, особенно к Богу. Он внутренне благодарил Его за упорство и силу, которые Он дал ему, чтобы спустя двадцать лет он смог осуществить свое долгожданное желание.

Его охватило чувство глубокого покоя, и он почувствовал себя очень защищенным Богом, семьей, друзьями, товарищами и т. д.; самой жизнью, как бы он хотел, чтобы время остановилось, чтобы ощущение радости, которое он все еще испытывал, было еще более продолжительным, ощущение, как и другие подобные события, также наслаждается таким образом, но которое, к сожалению, является лишь моментами; да, это лишь моменты, которые человек имеет на протяжении всей жизни, но которые, несмотря на это, не ограничивают его от того, чтобы буквально продолжать стремиться к ним. Потому что чувство удовольствия, которое возникает от достижения цели в жизни, настолько сильно и в то же время настолько эфемерно, что стоит продолжать стремиться к этим ощущениям.

В эти моменты удовлетворения будущее не имеет значения. Например: что бы вы делали после этого? Может быть, он продолжит учебу или что будет делать дальше? Сейчас эти вопросы и заботы не имели значения, в данный момент важно было жить и наслаждаться этим моментом и продолжать испытывать эйфорию, аплодисменты и фотографии, которые сделают этот момент вечным. Трансцендентным для него было то, что теперь у него в руках был сертификат об обучении; кстати, возможно, невинно, первое, что он сделал, как только он получил его в руки, - проверил его, чтобы убедиться, что он его. Он посмотрел и убедился, что на документе написано его имя, и, убедившись в этом, попытался прочитать, что в нем написано. Кто-то подходит к нему и говорит что-то на ухо, но что именно - ему неважно, поскольку он не помнит, что ему сказали, он просто улыбается и возвращается к чтению. Какая наглость со стороны его собеседника, кому какое дело, но как они посмели украсть у него момент экстаза или созерцания? Наконец, он решает не обращать внимания на остальных и ищет вдалеке своих людей, чтобы разделить с ними свое удовольствие, он полагает, что эти моменты предназначены для того, чтобы делиться ими, и поэтому он хочет быть сейчас со своей женой и детьми, ведь они, как и он, вносили свой вклад и жили, а также возмущались отсутствием, и теперь будет справедливо, если они разделят его радость. Их присутствие было действительно очень важно, они много раз поддерживали его вкус и страсть к учебе, в какой-то мере они гордились своим отцом. Это подтверждалось их улыбками и шутками по поводу его одежды; празднование продолжалось дома, и его сопровождали другие члены семьи и близкие друзья. Постепенно эйфория прошла, и дальше все было по-другому; главное, что ему удалось завершить цикл, а потом начнутся новые поиски, возможно, он попытается применить свои знания или столкнется со своим невежеством, этого он не знал, единственная уверенность заключалась в том, что теперь он знал, что может чего-то достичь, потому что действительно этого хочет, и что перед лицом этого желания, неосознанно, он держит себя в постоянном динамизме, что в конечном итоге приносит ему пользу.

Возможность работать по специальности не заставила себя долго ждать, потому что в начале августа он устроился на полставки в государственный институт спортивной направленности. Ему понравилась эта возможность, потому что у него самого уже был опыт занятий спортом, и в какой-то мере он знал, какие потребности могут быть у спортсменов. В каком-то смысле этот предыдущий опыт работы в спорте был для него очень полезен, поскольку давал определенную уверенность в том, что он будет работать по специальности. В реальности все оказалось несколько иначе, поскольку та же клиника, будучи государственной, занималась самыми разными проблемами, не все из которых были связаны со спортом, и это тоже пришлось ему по вкусу, поскольку в то время его очень привлекала общая психология.

И часть этой близости заключалась именно в том, что психологическая помощь, предлагаемая в клинике, была очень разнообразной, и часть этой помощи была ориентирована на проблемы супружеских пар, игровую терапию, работу с детьми и проблемы со спортивными результатами. Разнообразие решаемых проблем и необходимость применять свои знания постепенно привели его к закреплению определенных терапевтических техник; некоторые из них он освоил во время работы в социальной службе, другие - в ходе профессиональной практики. Многие из проблем, с которыми он сталкивался, были связаны с изменениями в привычной динамике, некоторые - с проблемами взаимоотношений, будь то с партнерами, детьми, учителями, тренерами и т. д.

Во всех ситуациях были определенные сходства, и они касались поведенческих моделей; то есть, как правило, преобладал общий фактор, который влиял и влияет на привычную динамику, и этот фактор заключался именно в изменении обычного распорядка дня. Технически это означает, что у значительной части пациентов, которые проходили лечение, наблюдались изменения в поведенческой системе, которые поддерживали поведенческий репертуар (Barrios, Hartman 1986, Fernández Ballesteros 1986, Nelson, Hayes 1986). Ко многим из этих проблем он подходил с позиций техники рационально-эмотивной терапии (Ellis A. 1996), в этой технике он нашел очень практичный подход, и прежде всего он сосредоточился на когнитивной части, которая лежит в основе этого клинического подхода, то есть он сосредоточился на наблюдении за причинами и мотивами пациентов, которые так укоренились в своих системах убеждений, откуда берутся такие убеждения? Вкратце, его внимание привлекло то, что у многих пациентов, в рамках их личностных компонентов (философского, когнитивного, поведенческого и физиологического), философский компонент был глубоко укоренен с выраженными негативистскими и абсолютистскими вербализациями; то есть такими самоописаниями, как: я должен делать все хорошо, ко мне должны хорошо относиться и у меня должны быть благоприятные условия. Таким образом, если им не удавалось выполнить ни одну из этих трех предпосылок, они склонны были поляризовать свое мышление, и тогда преобладали негативные аспекты ситуаций, что ограничивало возможности решения. Многие из их изменений были связаны с негативистскими моделями мышления, то есть если они совершали какую-либо ошибку, пусть даже небольшую, или если преобладающие условия не благоприятствовали их ситуации, их мышление неизменно менялось, или, говоря практическим языком, если то, что происходит, не соответствует ожиданиям, то это неправильно, а если это не так, как ожидает субъект, то он ведет себя неадекватно, и такое поведение заставляет его чувствовать себя хуже. Столкнувшись с этой панорамой, порой иррациональной и абсолютистской, нужно работать над тем, чтобы переориентировать иррациональную негативистскую схему мышления на более рациональную, не поляризованную и способствующую снижению тревоги пациента.

Эта тенденция у некоторых пациентов, а также его симпатия к этим терапевтическим инструментам, каким-то образом привели его к их изучению, и, прежде всего, полезность и быстрота, побудили его углубиться в диссертацию; и, таким образом, постепенно привели его к расширению терапевтической панорамы, поскольку возможности практического применения часто были очень разнообразны, и поэтому он начал изучать и применять когнитивно-поведенческие техники систематическим образом.

Спустя примерно полгода после пребывания в этой клинике и при наличии большого количества пациентов, которых нужно было обслуживать ежедневно, учитывая, что к тому времени он уже работал полный рабочий день, это было очень приятно для него; тем более что вскоре после этого у него появилась возможность пройти курс обучения в магистратуре, ориентированный на изучение психологии физической активности и спорта. Хотя изначально он собирался специализироваться в области клинической психологии, спортивная психология также привлекала его, тем более что сфера, в которой он работал, была связана с этой деятельностью. Соответствующий орган одобрил его кандидатуру, и он получил стипендию для поступления на магистерскую программу. Его это очень обрадовало и воодушевило, потому что он всего на полгода оторвался от формального обучения; хотя он продолжал развивать свои привычки к чтению, он понял, что это не то же самое, что когда у него была формальная обязанность учиться.

В этой магистратуре он имел возможность быть рядом с великими и признанными личностями национального и международного спорта; можно сказать, что он гордился тем, что у него были учителя - тренеры, методисты, менеджеры, журналисты, психологи и спортсмены. Все они очень щедро дарили ему свой опыт, делились многими переживаниями без каких-либо ограничений. Модальность этой магистратуры позволяла ему лично представлять оценки каждые три месяца, а в это время он получал материалы, которые будут оцениваться в конце трех месяцев, и все сомнения, которые у него могли возникнуть, очень быстро разрешались через веб-портал. Это дало ему уверенность в том, что он сможет применить полученные знания на практике там же, где он работал, и, следовательно, повысило уровень усвоения и закрепления знаний. Чтение специализированных книг, преподаватели, которые у него были, а также возможность применить полученные знания на практике заставляли его чувствовать себя все более и более удовлетворенным тем, что он делал, и еще лучше - результатами, которые он получал. Основным направлением обучения в магистратуре был спорт, но, учитывая особенности техник вмешательства, которые позволили ему сориентировать усвоенные знания на повседневную жизнь, а также тот факт, что он получал результаты с помощью этих навыков, это постепенно позволило ему объединить и персонализировать практики, пока не стало обычным применением навыков вмешательства для постановки целей результатов и достижений в спортивной и академической среде, для примера.

В конце первого года обучения в магистратуре он отправился на другой конец света, чтобы принять участие в глобальном мероприятии, связанном с самой магистратурой, где он познакомился с людьми из других стран и полностью погрузился в мир настоящих экспертов в области спорта. Этот опыт натолкнул его на мысль о получении более высокой степени, и он принял решение, находясь в том далеком месте, продолжить обучение в аспирантуре на уровне доктора. Впоследствии он вернулся в Мексику, полный энтузиазма и страсти. И по инерции знаний, которыми он обладал, он поставил перед собой задачу разработать курсы для тренеров по спортивной психологии. При этом он рассказывает о своем намерении хорошему и сдержанному коллеге по работе, и тот с энтузиазмом приносит ему хороший том специализированной библиографии по спортивной методологии, на самом деле этот жест коллеги очень приятен для него, и он чувствует себя очень благодарным за такое доброе отношение; с этого момента он буквально переключается на изучение и понимание многих аспектов, которые до этого дня он не знал, и которые составляют если не основную платформу развития спорта, то значительную часть требований к нему. Каждый день ему трудно соответствовать академическим требованиям и потребностям клиники. Пока ему не удается включить в работу студентов-практикантов, и это позволяет ему разнообразить и лучше удовлетворять общие потребности клиники. Впоследствии структура курсов по спортивной психологии, предназначенных для тренеров и спортсменов, была завершена, и вместе с другими спортивными специалистами, такими как: методисты, спортивные медики и диетологи, вместе с ними они преподавали первый дипломный курс по спортивной актуализации. Предложение было предложено всем учителям физкультуры и тренерам-специалистам штата, и они понимают, насколько успешным было приглашение, поскольку в целом они получили очень положительные отзывы. Дипломный курс длился четыре месяца, и в конце обучения он получил приглашение поступить на работу в университет в качестве преподавателя. Сначала ему было трудно принять это предложение, так как у него не было педагогической подготовки, но интуиция подсказала ему, что этот опыт может быть приятным; в конце концов он решил подготовить себя дидактически и через некоторое время стал преподавателем университета.

Предметы, которые ему предложили, были связаны с человеческим поведением, в частности с экспериментальным анализом поведения и модификацией поведения. По сути, это была школа психологии, короче говоря, предмет, над которым предстояло работать, был тесно связан с тем, чем он обычно занимался в клинике, то есть с областью его компетенции. Поскольку он обычно проводил анализ конкурентного совладающего поведения, а значит, можно было выявить дисфункциональное поведение с помощью техник модификации поведения, можно было перенаправить поведение, но теперь с помощью функциональных красителей (Kazdin A. 2000); способ систематизации и регистрации поведения заключался в матрицах наблюдения и записи, эти ресурсы позволили ему прояснить abc's поведения, то есть: где А означает поведенческий антецедент, B - проявленное поведение, а C - следствие проявленного поведения.

Такой способ анализа поведения, переориентации дисфункциональных поведенческих паттернов и их модификации в сторону функциональных моделей равносилен перепланированию поведения. В конце концов, можно понять, что та же самая профессиональная практика позволяет ему эффективно структурировать дидактические ресурсы, поскольку многие упражнения, которые будут выполняться на занятиях, ранее наблюдались *на месте,* и поэтому результаты можно было предсказать с большей точностью. Эта особенность облегчила теоретическое и методологическое структурирование занятий и сделала его академическую, а значит, и клиническую практику гораздо более гибкой.

Таким образом, включение новой рутины в его профессиональную деятельность очень приятно и удовлетворяет его; однако затем это привело к реструктуризации его семейной, социальной, рабочей, академической и досуговой жизни; Поскольку теперь он был вынужден отвлекаться от некоторых из этих сфер, чтобы интегрировать новую деятельность, и, следовательно, это присоединение, в свою очередь, вызвало новую профессиональную организацию, которая, если не будет выполнена должным образом, несомненно, может означать, что то, что он делал сейчас, что давало функциональность и чувство эффективности, в долгосрочной перспективе может привести к фрустрации и дисфункциональности. Поэтому он сосредоточивается на реорганизации своего распорядка дня и, проанализировав свою профессиональную реальность, устраняет отвлекающие виды деятельности, а затем добавляет новые задачи. В конце этого этапа ему удается согласовать различные задачи и, наконец, объединить виды деятельности и время их выполнения; результат этого процесса выражается в том, что он может функционально интегрировать новую рутину.

Со временем, в значительной степени сочетаясь с аудиторными занятиями, эта модель работы стала его постоянным учебным ресурсом для значительной части студентов, которых он обслуживал, в результате чего через несколько лет применение и оценка поведенческого анализа охватили около 250 человек. Это с учетом некоторых пациентов и преимущественно студентов. Такой объем информации позволяет ему сначала заметить сходство в занятии времени и выполняемой деятельности; затем он отмечает небольшую разницу между учениками в школьной и полушкольной системе. Наиболее заметное различие между учениками школьной системы и учениками открытой системы заключалось в том, что ученики, посещающие школу с понедельника по пятницу, демонстрировали более широкий поведенческий репертуар, чем ученики субботней системы; Хотя разница была не очень значительной (от двух до четырех поведенческих привычек), она демонстрировала поведенческую константу, причина которой, по его оценке, заключалась в том, что, помимо прочего, возрастной диапазон этих учащихся школьного типа составлял от 18 до 24 лет, а их основная деятельность заключалась именно в выполнении преимущественно учебных, семейных, социальных и развлекательных мероприятий; В отличие от них, человек, который учится только по субботам, предпочтительно потому, что он работает, имеет семью, мужа, жену, детей, то есть ряд вполне конкретных и рутинных рабочих, семейных и социальных обязательств, которые, как ни парадоксально, вместо того, чтобы увеличивать поведенческий репертуар, уменьшают его, и поэтому существует постоянная разница между студентами школьной и полушкольной системы, репертуар которых варьируется от 20 до 22 моделей поведения. С другой стороны, студенты младших курсов, имеющие меньше формальных обязанностей, увеличивали свой репертуар до 22 или 24 поведенческих моделей, что объясняется динамичностью, характерной для молодежи.

Способ получения этого типа прикладного анализа поведения заключался в составлении матрицы наблюдения и записи поведенческого репертуара; генезис этой матрицы заключался именно в том, что испытуемый описывал, что он/она делает и сколько времени посвящает определенной деятельности в течение недели. Для этого испытуемый сначала указывал вид деятельности, а затем описывал время выполнения в хронологической матрице, при этом очень важно учитывать, что данный анализ проводился в течение одной недели; иными словами, проводилось базовое наблюдение, но почему базовое, ведь по этой записи можно было определить два конкретных фактора: занятость времени в плане того, какая деятельность выполняется, и сколько времени уделяется этой деятельности.

Для этого очень важно записывать всю неделю, поскольку обычная рутина испытуемого протекает не только с понедельника по пятницу; суббота и воскресенье также учитываются для оценки поведенческого репертуара, поскольку в эти дни выполняются действия, которые обычно не выполняются в остальные дни недели. В конце наблюдения было зарегистрировано 168 часов активности, что соответствует семи дням, из расчета двадцать четыре часа в сутки, умноженные на семь. В следующей матрице будет легче понять, как получаются цифровые данные.

Описание деятельности

1		15	
2		16	
3		17	
4		18	
5		19	
6		20	
7		21	
8		22	
9		23	
10		24	
11		25	
12		26	
13		27	
14		28	

Таблица 1.1 Общее описание проводимой деятельности

Прикладной анализ поведения Дата наблюдения

Время	Понедельник	Вторник	Среда	Четверг	Пятница	Суббота	Воскресенье
01:00							

02:00																					
03:00																					
04:00																					
05:00																					
06:00																					
07:00																					
08:00																					
09:00																					
10:00																					
11:00																					
12:00																					
13:00																					
14:00																					
15:00																					
16:00																					
17:00																					
18:00																					
19:00																					
20:00																					
21:00																					
22:00																					
23:00																					
24:00																					

Таблица Т1.2. Время и частота наблюдения за поведением и формат записи

Категория и показатели Эмоциональный

Код	Категория	Индикаторное или манифестное поведение
A	Джой	Веселье, эйфория, удовлетворение, довольство, дает ощущение благополучия, безопасности.
B	Сюрприз	Удивление, изумление, недоумение. Это очень быстротечно. Может дать когнитивный подход к происходящему
C	Грусть	Горе, одиночество, пессимизм.
D	Страх	Предчувствие угрозы или опасности, вызывающее тревогу, неуверенность, небезопасность
E	Аверс	Отвращение, брезгливость, мы стремимся отойти от объекта, который вызывает у нас отвращение отвращение
F	Айра	Гнев, злость, обида, ярость, раздражительность

Таблица Т 1.3 Категория и показатели эмоционального преобладания (Базовые эмоции)

Дополнительные комментарии

Таблица T1.4 Комментарии

Как видно из таблицы T1.1, в первую очередь описываются общие формы поведения, например: сон, работа, личная гигиена, еда, пересадки и т. д.

1	Сон
	Кормление
	Посещаемость и постоянство на работе
	Личный груминг
5	Внутренняя деятельность
	Смотреть телевизор
	Разговор по телефону
8	Спортивная деятельность
9	Различные переводы
10	Физиологические потребности

Это объясняется тем, что предпочтительнее сделать только общее описание, а не подробное, по двум причинам: описание заняло бы много места и ограничило бы возможность адекватной записи. С другой стороны, важно отметить, что в течение дня выполняются одни и те же действия, но они не отличаются друг от друга, и многие из них связаны с одной и той же телесной активностью. Для этого приведем небольшой пример: действие сна может быть выполнено ночью или во время сна, неважно, в какое время оно выполняется, важно, что человек спит; это то же самое, что и поведение еды, которое мы будем называть кормлением; это поведение может быть выполнено утром, в полдень или ночью; поэтому оно описывается только один раз, и отмечается время суток, в которое выполняется это действие. Пример:

Таким образом, как видно из таблицы T1.1, в ней есть место для описания до 28 форм поведения; здесь важно отметить, что поведенческий репертуар варьируется между 22 и 24 формами поведения. Тем не менее, четыре дополнительных места добавлены для того, чтобы открыть возможность того, что кто-то может проявить больше поведений в день. Теперь, после того как поведенческие модели были обнаружены, можно их записать, для чего предлагается сначала посвятить целую неделю поведенческому самонаблюдению, то есть первая деятельность перед проведением поведенческой самозаписи заключается в обнаружении поведенческих моделей, которые были ранее записаны. При этом следует учитывать, что в течение одного часа могут проявляться различные формы поведения. Для этого можно отметить, что в часе есть четыре места.

После обнаружения их репертуара он записывается в соответствии с номером, присвоенным поведению. Пример:

Время	Понедельник			
01:00	1			
02:00	1			
03:00	1			
04:00	1			
05:00	10	8		
06:00				
07:00	9			
08:00				
09:00				
10:00				
11:00				
12:00				
13:00			10	

Если мы обратим внимание на эту таблицу, то периоды записи активности составляют около пятнадцати минут, что позволяет в конце каждого дня подвести итог активности за день и в приблизительных единицах времени; таким образом, можно сделать своего рода поведенческий рентген, который позволяет приблизиться к поведенческой и профессиональной реальности субъекта, и таким образом, на основе этой матрицы наблюдения и записи, можно провести возможную поведенческую переориентацию. Теперь эта матрица наблюдений может быть интегрирована с другой полезностью, то есть с помощью этого инструмента можно также измерить связь, существующую между поведением, которое излучается, и эмоциями, которые преобладают, начиная с базовых эмоций. Для этого достаточно добавить диагональ в соответствующую ячейку и, присвоив ей номер, также присвоить букву T1.3. Таким образом, с помощью этого же инструмента можно наблюдать и измерять поведение и преобладание эмоций. Пример:

Время	Понедельник					
01:00	1					
02:00	1					
03:00	1					
04:00	1					
05:00	10	A	8	A	8	B	B
06:00		D		E			
07:00	9	C		C			
08:00		D					
09:00		D					
10:00		D					
11:00		D					
12:00		A					
13:00		A		A	10	A	

И вот анализ и интерпретация этой матрицы наблюдений и записей показывает, что:

Испытуемый Х встал в пять часов утра, чтобы облегчиться примерно через пятнадцать минут, находясь в эмоциональном состоянии радости, судя по ощущению благополучия, удовлетворения и эйфории, которые он испытывал. Впоследствии что-то заставило его подпрыгнуть, и он эмоционально перешел в состояние удивления и оставался в этом состоянии в течение тридцати минут; Это эмоциональное состояние затягивается и приводит его к чувству устойчивого страха, пока не приводит его к чувству отвращения, то есть с преобладанием отвращения, впоследствии и в силу обстоятельств он переходит в С, то есть впадает в состояние печали со страхом, эмоциональное состояние, в котором он остается в течение четырех часов, пока, наконец, перед вечерним приемом пищи он не возвращается к эмоциональному состоянию радости, и оно сохраняется до конца дня.

Причины и аргументы, вызвавшие эти эмоциональные колебания, интегрируются в форму Т1.4, то есть этот инструмент служит для подробного описания тех конкретных ситуаций, которые так или иначе стимулируют эмоциональные колебания, изменяя восприятие реальности. Дополнительная польза этого инструмента измерения поведения заключается в том, что он также делает возможным самоконтроль, т.е. со временем он может способствовать большей осознанности в использовании времени и большей осознанности эмоциональных состояний. Поэтому в той мере, в какой это будет наблюдаться и подробно фиксироваться, в той мере будет и полезность самого инструмента.

Важно отметить, что вначале этот дидактический ресурс был не очень хорошо принят студентами, возможно, потому, что он требовал много самонаблюдения, а с другой стороны, потому, что их оценивали с помощью этого ресурса. Это привело к естественному отвращению к его выполнению, но позже, когда они познакомились с ресурсом, они нашли его очень полезным и простым в использовании, и, прежде всего, они использовали этот же инструмент для переориентации своих собственных привычек и, следовательно, для наблюдения за собой.

В классе, после того как студенты завершили анализ задач (также известный как прикладной анализ поведения), их попросили определить поведение, которое необходимо изменить, а после того как они определились с поведением, их попросили определить, основываясь на самом поведении, хотят ли они сохранить, увеличить, уменьшить или погасить выбранное ранее поведение. Значительная часть студентов решила уменьшить частоту выброса определенного поведения, и здесь возникла небольшая проблема, поскольку важно отметить, что, подобно человеческому телу, в отношении его внутреннего пространства, где все пространство жизненно важно, и поэтому в человеческом теле нет ни одного незанятого места, что является основным принципом органического функционирования. Все занято, поэтому, когда в какой-либо конечности тела возникает воспаление, неизбежно возникает боль, которая является чувствительным сигналом, указывающим на то, что что-то не работает должным образом и что внутри она может быть воспалена, а значит, изменяет или заставляет работать другую конечность. Иными словами, происходит функциональное насыщение, которое ограничивает функциональность другой конечности, вызывая тем самым системные изменения; фактически, в общей теории систем (Bertalanffy L. 1950, 1968)   заложены   три основные предпосылки, одна из которых

та, в которой говорится, что: системы существуют внутри систем, каждая система существует внутри более крупной системы. И еще одна из этих предпосылок гласит: функции системы зависят от ее структуры, причем для биологических и механических систем это утверждение интуитивно понятно. Мышечные ткани, например, сокращаются, потому что они состоят из клеточной структуры, которая позволяет им сокращаться.

Поэтому, если проанализировать эту теорию на примере человеческого тела, можно сказать, что функционирование организма достигается благодаря набору элементов, которые динамически связаны между собой и образуют независимую деятельность для достижения цели. На конкретном примере организма это можно перевести так: желудок способен способствовать адекватному метаболизму питательных веществ, поскольку он способен расщеплять питательные вещества и распределять их по соответствующим органам; для этого ему необходим баланс кислотного pH. Если по какой-то причине, которая почти всегда является экзогенной, то есть внешней, производство желудочной кислоты будет изменено, желудок продолжит функционировать, но теперь с перегрузкой, так как он будет продолжать метаболизировать питательные вещества и, с другой стороны, защищать себя от добавления кислоты на свою поверхность. Эта перегрузка приведет к своего рода воспалению, а воспаление, в свою очередь, вызовет состояние перенасыщения брюшной полости, что приведет к дискомфорту, таким образом, этот гомеостатический тип изменений может не только изменить функционирование организма, но и отразиться в изменении эмоционального состояния.

Как мы видим, то, что началось с телесного расстройства, сменилось эмоциональным расстройством, а затем привело к пагубному кругу из-за пищевого насыщения. Давайте посмотрим на это проще, используя тот же принцип теории систем, но теперь связав его с поведенческими аспектами в дидактических целях:

Рассмотрим, что следующая структура представляет собой совокупность поведений, испускаемых субъектом. В этой структуре мы рассматриваем совокупность действий, которые выполняются в течение всей недели на протяжении 168 часов; но для целей практического анализа рассматриваются только 24 часа. Эти модели поведения уже имеют свое пространство, поскольку уже известно, что они являются действиями, которые обычно выполняются, и, с другой стороны, уже известно время, необходимое для их выполнения. Некоторые виды поведения могут увеличивать время выполнения, а значит, влиять на другое поведение и уменьшать его. Например, посещение школы происходит с понедельника по пятницу, поэтому в субботу и воскресенье велика вероятность того, что время, отведенное на сон, увеличится, поскольку для этого есть время, из-за того, что другие привычные виды поведения не выполняются; таким образом, при такой тенденции велика вероятность того, что поведение, связанное со свиданиями, домашними делами, спортом и т. д., также увеличится; или будут другие очень случайные виды поведения, такие как посещение вечеринки, и поэтому частота проведения досуга может увеличиться. В этом же ключе весьма вероятно посещение воскресных религиозных служб, поэтому для практических целей наблюдения и записи измеряются только 24 часа, но для результатов функционального анализа рассматривается вся неделя.

Еще один аспект, который следует подчеркнуть, касается данных, представленных ниже в таблице Т1.5. В этой таблице приведены данные, отражающие динамику поведения группы из 24 студентов восьмого семестра университета, посещающих вечерние занятия, которые самостоятельно провели анализ своих задач (прикладной анализ поведения). Впоследствии была проведена соответствующая компиляция, поэтому некоторые из них выполняли несколько моделей поведения, например, вели личный дневник, а другие, напротив, были больше ориентированы на общение через социальные сети и/или лично. Учитывая сложность группировки особенностей, было решено группировать на основе преобладающих моделей поведения общего порядка, однако этот ресурс наблюдения не был подтвержден внешне, поэтому он имеет лишь описательную внутреннюю валидность.[20]

Таблица Т1.5 Поведенческий репертуар

	Обычный поведенческий репертуар	Погода	Процент
1	Сон	8.10	33.75 %
	Посещение школы	3.50	14.58 %
	Поход с друзьями	1.00	4.16 %
	Личный груминг	1.20	5 %

---

[20] Общий адаптационный синдром (Selye H. 1963)

5	Нахождение в социальных сетях с помощью компьютера	0.60	2.5 %
	Бытовая деятельность (кормление, уборка и т.д.)	0.90	3.75 %
	Написание поэтических дневников и т.д,	0.11	0.45 %
8	Разговор по телефону	0.26	1.08 %
9	Кормление (три приема пищи)	1.00	4.16 %
10	Смотреть телевизор	1.48	6.16 %
	Игровая деятельность	0.40	1.66 %
	Спортивная деятельность	0.20	0.83 %
	Ежедневное начало деятельности (фаза оповещения)[18]	0.33	1.38 %
	Выполнение домашнего задания включает в себя исследование	1.08	4.5 %
	Семейное сосуществование (включая споры)	0.56	2.34 %
	Отношения знакомства	1.09	4.54 %
	Особые семейные обязанности	0.60	2.5 %
	Продуктивная или трудовая деятельность	0.24	1 %
	Религиозные услуги	0.04	0.18 %
	Профессиональные стажировки или социальная служба	0.40	1.67 %
21	Социальная активность	0.31	1.30 %
	Физиологические потребности	0.20	0.84 %
23	Различные переводы	0.40	1.67 %
		24 часа.	100 %

После того, как доступен обычный поведенческий репертуар и известно, что в течение недели молодые люди демонстрируют в среднем 23 модели поведения, появляется то, что в формальных терминах экспериментального анализа поведения называется "базовой линией" или платформой для наблюдения за поведением в целом, и на этой основе анализа теперь можно наблюдать, каким именно моделям поведения уделяется больше времени, а какие определенно не способствуют личностному развитию, а скорее ориентированы на неработоспособность и не способствуют личностному росту. На самом деле, вполне возможно, что их появление может даже вызывать некоторые эмоциональные нарушения, но, не осознавая в полной мере их влияния на эмоциональный уровень, можно предположить другие внешние аспекты и не заметить внутренние аспекты, которые реализует сам субъект.

На этом этапе анализа все еще можно углубиться в личное наблюдение, но теперь можно провести исследование в более редуцированной перспективе, то есть перенести анализ в область наблюдения за областями трансценденции человеческого существа. Хотя этот момент будет подробно рассмотрен в соответствующей главе, пока можно представить следующую схему, по которой человек развивается на протяжении всего своего существования и которая так или иначе позволяет ему развивать потенциальные возможности, порождающие чувства самопознания и уверенности в себе. Поэтому сначала мы рассмотрим поведенческий репертуар по областям, где с этой точки зрения можно более точно определить, какое поведение соответствует определенной области, как видно из таблицы Т1.6.

Например, можно заметить, что поведение, связанное с уходом за собой, написанием дневника или стихов, началом повседневной деятельности и путешествиями, соответствует индивидуальному развитию. Таким образом, молодые люди обычно тратят на себя 8,48 % своего обычного времени, и так далее, пока не закончат общее количество часов; и, наконец, теперь картина профессиональной деятельности более наглядна, поэтому на основе этой платформы наблюдения за поведением можно более точно определить, в какой области и с помощью какой деятельности следует поддерживать, увеличивать, уменьшать или даже гасить то или иное поведение, которое из-за времени или эмоций, которые оно дает, не способствует развитию личности, напротив, оно может ограничивать или препятствовать развитию личности в определенной области.

Поведенческий репертуар по трансценденции и развитию территории

	Поведение	Области	Процент
1	4,7,13, 23	Индивидуалка	8.48 %
	3,22	Социальная	5.44 %
	2,14,21	Академический	20.80 %
	5,8,10,11	Lúdica	11.4 %
5	1,9,23	Здоровье	38,74 %
		Физическая активность	0.86 %
		Духовный	0.16 %
8		Сексуальные	4.54 %
9	5,15,18	Семья	8,58 %
10		Труд	1.00%

Таблица Т1.6 Поведенческий репертуар по областям

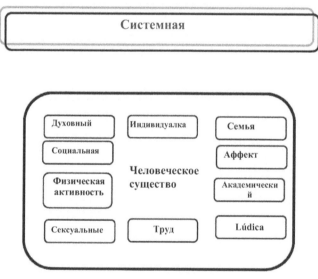

Таблица Т1.7
Системная трансцендентность

Таблица Т1.6 показывает, что в разделе № 3, который соответствует академической деятельности, она составляет 20,80 %, что соответствует 34,94 часам в неделю, а трудовая деятельность составляет всего 1,68 (один час и шестьдесят восемь минут). Причина такой тенденции понятна, поскольку население, предоставляющее эти данные, - студенты университетов, которые еще не вышли на рынок труда. Когда они завершат обучение, эта профессиональная тенденция может иметь некоторые отклонения, и они не будут отражены на рынке труда; причины этого скорее социально-экономические, чем индивидуальные. Однако по мере того, как субъект вовлекается в устойчивую деятельность, необратимо и системно, его функционирование в других сферах развития будет меняться; это очень заметно при выборе, так сказать, физической активности, будь то посещение спортзала или занятия дома. Решение стать физически активным - мудрое, однако нужно хорошо понимать, что этот выбор означает отказ от некоторых видов деятельности или их сокращение. Особо следует отметить, что во многих случаях решение заняться новым видом деятельности должно быть принято на основании того, что необходимо рассмотреть, какие виды деятельности следует сократить или прекратить. В итоге неизбежны как поведенческие, так и эмоциональные последствия. Причина в том, что многие планы по физической активности отменяются почти сразу же, а причина с этой точки зрения заключается в том, что личный репертуар не был оценен заранее, и решение о реализации плана принимается не раньше, чем была проведена оценка задач, которые необходимо пересмотреть. Систематический подход к внедрению этой модели на уровне питания будет подробно рассмотрен позже в главе, посвященной схемам развития аспектов развития человека.

Но на данный момент в этом разделе может быть очень полезна следующая матрица принятия решений, которая позволяет тщательно оценить выгоды и затраты, связанные с осуществлением или неосуществлением той или иной деятельности:

Дата:	Выгода		Стоимость	
Ситуация для рассмотрения:	Краткосрочный	Долгосрочный	Краткосрочный	Долгосрочный
Включите в ежедневный распорядок дня получасовую физическую активность (езда на велосипеде, аэробика и т. д.), ходьба, тренажерный зал и т.д.)	Хорошее самочувствие Развитие мышечного тонуса Улучшить свой внешний вид Повысить самооценку	Потеря веса Потерять размер Повысить самооценку Улучшить настроение	Вошли в привычный ритм жизни. Смиритесь с физической усталостью. Прекратите заниматься определенными видами деятельности. Дисциплина и сила воли. Вложить немного денег в покупку одежды или оборудования	Организуйте время так, чтобы оставаться продуктивным в других областях. Возможность получения травм из-за физических перегрузок. Сокращение других видов деятельности, которые могут приносить удовольствие

Таблица Т1.8 Матрица принятия решений

Как видно, несмотря на то, что привычка к физической активности очень полезна для здоровья, она сопряжена с определенными рисками на поведенческом, физическом и эмоциональном уровнях. Поэтому рекомендуется предварительно оценить влияние, которое это решение окажет на привычную деятельность, рассмотреть возможные последствия принимаемого решения, и перед лицом этого очень часто подчеркивается только польза, не принимая во внимание возможный вред, который может возникнуть в момент осуществления деятельности. Необходимо также учитывать затраты, которые, строго говоря, не являются экономическими, а скорее *отношенческими и поведенческими*. В случае с отношением речь идет о том, как люди ведут себя, когда сталкиваются с телесной нагрузкой от физической работы, поскольку любая физическая рутина, какой бы незначительной она ни была, неизменно оказывает влияние на физическое, а затем и на эмоциональное состояние; в этой оценке необходимо учитывать отношенческую реакцию, а затем поведенческую реакцию, которая обычно идет рука об руку с предыдущей. Если человек чувствует усталость или перегруженность в результате физической активности, он, скорее всего, решит отказаться от нее или продолжить, но уже с определенным телесным и эмоциональным напряжением, и тогда то, что изначально должно было улучшить настроение, теперь может изменить его в негативную сторону.

Поэтому предложение использовать эту таблицу T1.8, основано на осознании того, что любая рутина, включенная в привычный ритм, рано или поздно повлечет за собой как выгоду, так и затраты; По этой причине необходимо полностью осознавать все вышесказанное, чтобы в процессе осуществления новой деятельности, если возникнут непредвиденные обстоятельства, подобные описанным выше, вы могли заранее знать, что это было учтено, и, возможно, с большей вероятностью вы будете придерживаться своего первоначального решения, и в конечном итоге вы будете знать, что результат, которого вы хотите достичь, неизменно будет связан с затратами, но что вы все равно сможете осуществить его, несмотря на эти затраты.

Наконец, еще одним элементом, который может внести значительный вклад в достижение целей и включение деятельности, может быть именно включение привычки ставить цели, которые, как видно из их названия, имеют своей основной предпосылкой ориентацию поведения на достижение. Однако на этом этапе, как правило, большое значение придается цели достижения, цели результата, и меньшее значение придается исполнению, то есть реализации[21] ; которая представляет собой не что иное, как процесс систематического исполнения, способствующий достижению результата.

Если посмотреть на это с очень простой точки зрения, то все будет примерно так:

Эта иллюстрация призвана подчеркнуть важность процесса, поскольку именно он, говоря разговорным языком, открывает конкретную возможность получить что-то конкретное.

Возвращаясь к примеру с включением в режим физической активности, мы видим, что акцент, скорее всего, делается на похудении или росте, и тогда внимание обычно концентрируется на конечной цели, то есть на весе и росте, а не на процессе; другими словами, на том, что нужно делать и не делать для достижения цели и завершения процесса, если нет реального осознания этого аспекта, который обычно является самым сложным и даже угрожающим для образа жизни самого субъекта. Это связано с тем, что процесс напрямую связан с систематизацией физических и волевых усилий. Поэтому волевые качества необходимо учитывать, чтобы стимулировать и усиливать процесс систематического выполнения. Рассмотрим это следующим образом: Волевой происходит от латинского *volo*, что означает "хочу". Это говорится о действиях и явлениях воли. А волевое связано с волей от лат. *voluntas, - atis*, что

---

[21] Бусета Х. М. (1998) *Психология спортивной тренировки.*

обозначает способность решать и упорядочивать собственное поведение.

Как видно, акт исполнения подразумевает принятие решения и упорядочивание, а для упорядочивания необходимы именно приказ и мандат. Как видим, порядок подразумевает иерархизацию, решение и исполнение; с другой стороны, мандат относится к гуманистической предпосылке, связанной с требованиями достижения, а именно: знать, уметь, хотеть и иметь[22] [23][21]. Эти требования достижения означают, что, во-первых, человек должен быть уверен, что знает, как сделать; однако, даже если человек знает, если он не может или не хочет, он никогда не достигнет цели. Второе требование, которое необходимо закрепить для достижения цели, касается умения, и точно так же, если человек не хочет, он просто не достигнет цели. Таким образом, в этом процессе желание приобретает огромное влияние, поскольку оно уже влечет за собой предпосылку мандата в функции порядка, который является решением; а затем последнее требование достижения, которое является долгом, уже приобретает большее влияние, поскольку человек без колебаний сделает все, что должен сделать для достижения своей цели, которая в данном случае относится к физической активности. И наконец, следствие этого систематического и упорядоченного процесса позволило не только развиться на физическом плане, но также благоприятствовало и укрепило волевой план; то есть обогатилось умение принимать решения и упорядочивать свое поведение, а значит, и воля.

Дата:	Реализация	Результат
Долгосрочные цели		
Среднесрочные цели		
Краткосрочные цели		

Таблица T1.9 Целевые показатели по выходу и результатам

Способ организации и работы с таблицей T1.9 в некоторой степени очень прост, однако стоит кратко описать, как его можно использовать более эффективно:

Дата:[24]	Реализация [25]	Результат[26]
Долгосрочные цели [27]	Циклируйте в течение тридцати пяти минут циклами по 5 минут на половинной скорости и 5 минут с сопротивлением. Завершите цикл 5 минутами охлаждения.	Циклируйте в общей сложности 175 минут в неделю, позволяя себе отдыхать один день в неделю.

---

[22] Вега Баэс Х.М. (*Румбо а ла Сима 2002*)
[23] Buceta J.M. (1998) *Психология спортивной подготовки.*
[24] Важно установить дату начала работы
[25] Относится к поведению, которое должно выполняться упорядоченно.
[26] Относится к желаемым достижениям
[27] Для целей данной модели долгосрочным периодом считается один месяц.

Среднесрочные цели [28]	Циклируйте в течение двадцати минут циклами по 5 минут на половинной скорости и 5 минут с сопротивлением.	Выполняйте эту работу по крайней мере четыре дня в неделю в определенное время
Краткосрочные цели[29]	Циклируйте в течение пятнадцати минут в устойчивом среднем темпе в удобное для вас время.	Выполняйте это упражнение не менее трех дней в неделю.

Поэтому, прежде всего, цели делятся по времени, за которое они должны быть достигнуты, то есть время выполнения упражнения постепенно увеличивается. Причина этого кроется в трех перспективах научного знания; первая - это понятие, тесно связанное со спортивной методологией, называемое суперкомпенсацией, под которой понимается способность организма адаптироваться к физической работе, чтобы эффективно усваивать физическую нагрузку и по возможности избегать возникновения травмы, вызванной мышечным утомлением. С другой стороны, во второй перспективе, связанной теперь с экспериментальным анализом поведения, этот подход предполагает, прежде всего, постепенное внедрение поведения, которое должно быть установлено, что называется привычкой, и именно закрепление этого может варьироваться от человека к человеку; это зависит от уровня сопротивления рутине, которое представляет субъект, сильной внутренней мотивации и высокой настойчивости, которую он демонстрирует. Третья точка зрения связана с мотивацией достижения (Atkinson 1966), где он предполагает, что если мотивация достижения выше, чем страх неудачи, и успех достигнут, то уровень стремления после успеха возрастает, поскольку происходит положительное изменение в мотивации.

Поэтому вначале ставятся короткие цели, но с высокой вероятностью их достижения человеком, который их реализует. С другой стороны, это способствует формированию здоровой привычки, и, наконец, субъект защищен от возможных травм, связанных с перегрузкой физической работой. Что касается целей работы, то они повышаются в соответствии с концепцией перекомпенсации, то есть интенсивность нагрузки постепенно увеличивается до тех пор, пока не будет достигнута точка равновесия между физическими требованиями (выносливостью) и способностью к органическому усвоению (физической эффективностью). Эти два фактора могут быть консолидированы только постепенным и продолжительным образом.

Что касается целей результатов, то можно заметить, что количество рабочих дней увеличивается, и цель также состоит в том, чтобы найти правильное время для выполнения испытуемым его физической рутины; на самом деле не обязательно, чтобы это всегда происходило в одно и то же время, рутина может меняться в зависимости от наличия реального времени, главное - не превышать время потребности и по возможности разнообразить выполнение рутины, чтобы поддерживать внутреннюю мотивацию. Наконец, важность даты также подчеркивается, поскольку она позволяет определить дату начала и окончания проекта. Лично я рекомендую после завершения проекта создать еще один, но уже с другим видом деятельности или другой функцией; предлагается постоянно устанавливать цели достижения и результаты в стольких областях личностного развития, сколько позволяет

---

[28] В среднесрочной перспективе рассматриваются только две недели
[29] Первый срок - одна неделя работы.

собственная креативность.

Таким образом, практическое применение этой формы целеполагания может быть реализовано в самых разных сферах жизни субъекта, нужно только сделать две очень простые вещи: первое - быть открытым для возможностей личностного роста во всех областях человеческого развития, второе - ставить личные цели, то есть осознавать, что речь идет именно о вас и ни о ком другом, поэтому цели определяете вы, ведь только вы будете их выполнять. И наконец, очень важно ставить цели обычных людей, то есть цели, которые имеют реальные шансы быть достигнутыми, а не притворяться, что "высокопарные" цели приведут вас дальше; это может в конечном итоге измотать вас и, как следствие, заставить отказаться от любых попыток сделать что-то действительно ценное для вас.

Я просто предлагаю вам задуматься на мгновение и обратить внимание на то, что великие произведения, которыми мы окружены, создавались в течение времени, и что их разные создатели преодолевали бесчисленные препятствия, которые вместо того, чтобы быть препятствиями, становились целями, которые нужно было преодолеть, чтобы достичь того, чего желали их создатели. Иными словами, это работы для потомков; так и вы, вашей лучшей работой будет та, которую вы создадите, опираясь на свою собственную жизнь, свои собственные возможности и свои собственные ресурсы. Больше не нужно тратить энергию и время на то, чтобы увидеть, что делают другие, теперь пришло время построить себя и определить, какие ресурсы у вас есть и куда и зачем вы хотите попасть.

Подумайте о своих истинных возможностях, о своем истинном потенциале, не бойтесь того, что вы постепенно откроете о себе заново, суть этого шага в том, что вы поймете, кто вы есть на самом деле и кем вы не являетесь. Какой смысл продолжать страдать из-за того, что делают или достигают другие, вместо того чтобы тратить свое время на наблюдение за другими, вложите его в наблюдение за собой, с точки зрения ваших возможностей и потенциала; и, наконец, решите работать с этим.

Для этого сначала нужно позволить себе узнать, кто вы, как вы живете и насколько эмоционально вы проживаете свою собственную жизнь. Как только вы узнаете это, позвольте себе по-настоящему самоанализ и выясните, что бы вы хотели сделать для себя, разумеется, только то, что зависит от вас и ни от кого другого.

В этом смысле очень важно избегать как физических, так и эмоциональных зависимостей, как только вы узнаете, чего бы вы хотели добиться для себя. Поскольку вы уже оценили преимущества, но также знаете и затраты, поставьте перед собой цели по достижению и получению результатов и позвольте им позаботиться о вашем личностном росте. Помните, что со временем у вас есть возможность развиваться и блуждать по десяти направлениям, поэтому не торопитесь, но чем больше времени вы потратите, тем меньше шансов получить удовольствие от собственной системной перестройки. Помните, что вы сами определяете направление и время, которое вам потребуется, чтобы принять решение взять под контроль собственное существование.

В заключение этой главы я собираюсь показать два ресурса, которые позволяют нам наблюдать некоторые результаты, которые можно получить после проведения прикладного анализа поведения. Первое свидетельство связано со студенткой университета, которая смогла наблюдать за тем, какое поведение она демонстрирует, и в то же время она смогла измерить время, которое она тратит на каждый из видов деятельности; и нечто очень важное, что она смогла указать, относится к тому факту, что ее собственная повседневная деятельность мешала ей развивать адекватное сосуществование в семье, что ограничивало ее способность общаться и понимать свою домашнюю обстановку. Следующий ресурс посвящен истории жизни человека, который, как и многие женщины с похожими обстоятельствами, оказался перед необходимостью системно изменить себя в связи с биографическими событиями.

Прикладной анализ поведения

Хора	Понедельник	Вторник	Среда	Четверг	Пятница	Суббота	Воскресенье
5:00	1	1 1	1 1	1 1	1 1	1 1 1 1	1 1 1 1
6:00						1 1 1 1	1 1 1 1
7:00	9		9 9 9 9	9 9 9	9 9 9 9	1 1 1 1	1 1 1 1
8:00		5 5 5 5		9 9 9 9	9 9 9 9 9	1 1 1 1	1 1 1 1
9:00		5 5 5 5	9 9 9	9 9 9 9	9 9	15 15	1 1 15 15
10:	9 9 9 9	19 19	9 9 9 9		19 19	15 15 15 15	12 12
11:	16	5 5 5 5			9 9 9	15 15 15 15	12 12 12 12
12:		20	9 9 9 9		1 1 1 1 / 1 1 1 1	12 12 12 12	12 12 12 12
13:	12 12 12 / 1	20 20 20 20	19 19 19		15	15 1	12 12 12 / 12 12 12 12
14:	12 12 12 12	20 20 20 20		15 15 15	10 15	16 12 12 12	15 15 15
15:	12 12 12 12 12			17 17 12 12 12 12	1 1 1 1	15	12 12 12 12 12
16:	12 12 12 12 12	1 1		12 12 12 12	10 10 10 10	10 10 10	12 12 12 12 12
17:	12 12 12 10	16 16	8 8	14 14 14 14	12 12 12 12	15 15 15 15	13 13 13 13
18:	13 13 13 13	8 8	16 10	14 14 14 14	12 12 12 1	15 15 17 17	16 16
19:	16 16 16 16	10 12 12 12		16 16 15 15	17 17 17 17	17 17 17 17	17 17
20:	17 17		17 17 17 17 15		17 17 17 17 17 15		17
21:	17 17 17 / 1	17 17 / 1	17 / 1	13 13	17 / 1 8	17 17 / 1	17 19 19 19 / 1
22:00	17 17 18 18	18 18 18 18	18 17 17 17 1	13 13 13 13	18 18 18 18	17 17 17 17	17 17 17 17
23:00	1 1 1 1	1 1 1 1	1 1 1 1	1 16 16 17	17 17 17 17	17 17 17 1	1 1 1 1
24:00	1 1 1 1	16 16 1	1 1 1 1	1 1	1 1 1 1	1 1 1 1	1 1 1

Описание деятельности и шкала отношения

1	Сон	51:15		Задачи	3:37:30
	Еда	8:30		Посещение семинара	2:00
	Уход и личная гигиена	6:22: 30		Работа по дому (стирка одежды, уборка дома, приготовление еды). 8:00	
	Отношения Знакомства	3:45		Различные мероприятия	3:45
5	Стажировки	3:00		Развлечения (просмотр телевизора, прослушивание музыки, общение в социальных сетях). 14:30	
	Переводы	11:30		Чтения	2:37:30
	Физиологические потребности	1:45		Социализация	2:30
8	Физическая активность	1:00		Образовательные исследования	2:15
	Посещение занятий	19:45	21		
10	Сосуществование семьи	2:45			
	Терапия	1:00	23		
	Работа	18: 7: 30			

Эмоциональная номенклатура

Код	Описание Эмоция	Манифестное поведение
A	Джой	Веселье, эйфория, удовлетворение, довольство, дает ощущение благополучия, безопасности.
B	Сюрприз	Удивление, изумление, недоумение. Очень быстротечны. Может дать когнитивный подход к происходящему.
C	Грусть	Горе, одиночество, пессимизм.
D	Страх	Предчувствие угрозы или опасности, вызывающее тревогу, неуверенность, небезопасность
E	Аверс	Неприязнь, отвращение - мы стремимся отойти от объекта, который нам не нравится.
F	Айра	Гнев, злость, обида, ярость, раздражительность

Дополнительные комментарии

Я хочу начать с сокращения часов развлечений как минимум вдвое, увеличить количество чтения хотя бы до 1 часа в день, также я поняла, что трачу много времени на уход за собой, хочу сократить время, потраченное на это занятие, и вложить его в физическую активность.

Я никогда бы не подумал, что этот простой анализ поведения позволит мне увидеть вещи, выходящие за рамки простого.

Я хочу поблагодарить вас за то, что вы предоставили мне этот анализ, потому что я смог понаблюдать, и мне стало очень грустно от осознания того, что из 168 часов в неделю я могу посвятить только 2 часа 45 минут тому, чтобы провести время со своей семьей.

Теперь я понимаю, почему мне так трудно общаться и понимать своих братьев и сестер, ведь на данный момент они - те, с кем я живу ежедневно, то есть те, с кем я делю только пространство. Мне нужно сократить немного времени на каждое занятие, чтобы лучше общаться, думаю, я бы лучше с ними ладила, если бы только перестала быть погруженной в свой мир и уделяла им больше внимания.

Анализ случая № 1

Первое впечатление, когда я увидел ее, было удивленным: мы представились друг другу, она хотела улыбнуться, но я видел, что ей это дается с большим трудом. Причина, которая заставила ее встретиться со мной, заключалась в том, что ей нужна была помощь. Она рассказала мне о своем лечении от наркозависимости, о том, как плохо она себя чувствует, и самое страшное, что она часто испытывает уныние; я попросил ее успокоиться и рассказать, что, по ее мнению, стало причиной ее нынешнего состояния. Она начала с того, что рассказала мне о своем нынешнем семейном положении и последствиях этого союза, включая материнство и отношения со свекровью, которые, по ее словам, были совсем не лестными.

Ситуация была следующей: она работала в местной школе и была матерью троих детей: пяти, трех и одного года. Самый старший из них был мальчиком, следующая по возрасту - девочкой, а самый младший из троих - тоже мальчиком.

По утрам ей приходилось ходить на работу, а после обеда она посвящала себя детям. Свой дом она делила со свекровью, которая жила в нижней части дома, кстати, принадлежавшей ее свекру. Ее муж имел ту же профессию, только работал в другом учреждении. В течение некоторого времени пациентка начала испытывать некое беспокойство и раздражение по отношению к свекрови, поскольку, по словам пациентки, та часто шантажировала ее сыном; то есть, пока его не было дома, свекровь не проявляла никаких изменений, но стоило сыну прийти домой и оказаться с ней и детьми наверху, как свекровь начинала предъявлять ему ряд претензий, которые, по словам пациентки, были направлены только на то, чтобы заставить его спуститься вниз и побыть с матерью. Пациентка отмечает, что такое поведение со стороны матери было очень частым, и даже когда она говорила ему, что это просто шантаж, он переставал быть с ней и занимался нуждами матери. Это вызывало у нее сильный дискомфорт и разочарование, которые постепенно подорвали ее, и теперь она была больна и не хотела ни работать, ни заботиться о детях, не говоря уже о других домашних делах.

Я попросил ее рассказать о том, какой была ее жизнь до замужества и как начались ее отношения с нынешним мужем, и в ее взгляде отразился намек на улыбку, своего рода радость от воспоминаний о том, какой была ее жизнь до замужества. Во-первых, она рассказала мне, что была старшей из четырех братьев и сестер и что в ее доме не было отца; на самом деле она поделилась, что никогда не знала своего отца, который, судя по всему, ушел от жены, и мать четверых детей выживала, как могла. Как старшую, ее с раннего возраста заставили пойти работать и учиться. Жизнь этой семьи, очевидно, складывалась с большим трудом, но в конце концов ей (пациентке) удалось завершить карьеру учительницы и продолжать содержать семью. Похоже, что благодаря этим усилиям все братья и сестры, кроме одного, который оказался единственным мужчиной в семье, смогли завершить профессиональную карьеру.

Далее она отметила, что то, что она была старшей и с самого начала стала кормилицей в доме своей матери, позволило ей получить определенные привилегии, которые выражались в том, что она пользовалась привилегированным отношением со стороны матери и сестер. Иными словами, когда она сама приходила домой, к ней относились по-другому, поскольку, по ее словам, она не отвечала за работу по дому; фактически она была избавлена от любой домашней ответственности, а с другой стороны, она получала множество привилегий, очень похожих на те, которые обычно наблюдаются в семьях, где преобладают тенденции мачо; и таким образом мужчина пользуется большой социальной свободой и практически не несет никакой домашней ответственности.

Еще один аспект, который стоит отметить: она сама была своего рода авторитетом в глазах братьев и сестер, и в зависимости от своего настроения давала разрешение младшим братьям и сестрам на прогулки. Очевидно, что все это делалось в сговоре с матерью, у которой, учитывая экономическую поддержку, получаемую ею от старшей дочери, не было другого выбора, кроме как отойти от своего авторитета матери и отдать эту роль старшей дочери, которую она со временем невольно взяла на себя.

Если говорить о том, как возникли отношения этой пары с ее нынешним мужем, то эти отношения принесли свои плоды, поскольку они оба занимались одним и тем же видом деятельности; согласно его замечаниям, которые он мне сделал, его очень поразило то, как она вела себя в обществе; по словам его жены, она была очень активна на встречах с друзьями и, как правило, постоянно лидировала в общей группе, где они оба встречались; По словам его жены, это была основная причина, по которой он обратил на нее внимание, поскольку она была очень уверена в себе и могла легко определить направление встречи или собрания, где они оба жили вместе. Именно этот факт больше всего привлек ее нынешнего мужа, и, по его словам, постепенно они узнавали друг друга все лучше и лучше и в конце концов решили соединить свои жизни, поскольку муж считал, что с такой целеустремленной женщиной с большим запасом жизненных сил было бы очень приятно жить и разделять всю жизнь вместе.

Она подтверждает и принимает многое из того, что он говорит, более того, она добавляет, что в области сексуальности она чувствует себя очень довольной, поскольку их отношения очень приятны, хотя в последнее время они сократили их, и им все труднее достигать желаемой близости, особенно из-за того, что они чувствуют себя обремененными столь большой ответственностью. И хотя она сама признает, что муж оказывает ей большую поддержку в работе с детьми, она все равно чувствует, что это большая ответственность, и, прежде всего, ей все труднее жить со свекровью; более того, в последнее время она старается по возможности избегать любых контактов с ней, а учитывая условия дома и то, что свекровь является его хозяйкой, добиться полного разрыва отношений между свекровью и невесткой буквально невозможно, и, учитывая эту реальность, она в итоге еще больше разочаровывается. И не только это, но и моральный крах, поскольку она понимает, что от той свободной, уверенной в себе женщины и, прежде всего, с большим лидерским потенциалом мало что осталось; на самом деле она задается вопросом, что произошло, что случилось с ней в этом процессе.

В жизни этой женщины произошло то, что она пережила соответствующее биографическое изменение, связанное с ее жизненным опытом, и, с моей точки зрения, она не обновляла свою жизнь в соответствии с тем опытом, который она переживала.

Пойдем по частям, вспомним, что до замужества она выступала в роли замещающего родителя и, следовательно, обладала канонами, обусловленными этой отведенной ей ролью; так, она не выполняла никаких домашних обязанностей, напротив, именно она заботилась о них. Это означало, что в определенной степени она не усвоила важность домашних дел; еще одним измененным моментом было то, что в доме матери она принимала решения, а значит, была королевой; теперь же в новом сценарии ее ведущая роль отошла на второй план, и, соответственно, она больше не принимала решений, а, напротив, делила королевство. Давайте вспомним, что в соответствующих родовых домах роли уже распределены, дублирования ролей нет, и может быть только король и королева; остальные - подданные с соответствующими атрибутами, которые, в свою очередь, наделяют их властью и положением. Посмотрим: старший сын, единственный сын, единственный мужчина, единственная женщина и т. д. Этот факт в сочетании с ощущением себя незваным гостем в доме свекрови обострял ситуацию, и, не испытывая подобного раньше, я не знала, что с этим делать.

Еще один аспект, который особенно актуален, заключается в том, что, с одной стороны, ей приходится заботиться о трех детях, возраст которых требует постоянного внимания, а с другой стороны, ей приходится брать на себя ответственность за удовлетворение специфических потребностей ребенка пяти, трех и одного года. И хотя все трое - младенцы, каждый из них требует особого внимания, причем иногда это происходит одновременно, что вызывает ощущение бесполезности и материнской, семейной и супружеской неработоспособности. Такая же неработоспособность была и у пациентки; то есть видение соответствовало прошлому опыту, и поэтому она сама не обновляла свое представление о себе и оценивала себя с точки зрения того, чем она была или занималась, а не с точки зрения того, что ей нужно делать сейчас.

Работа, которую мы проводили с этой пациенткой, была направлена в первую очередь на восстановление ее представления о себе; на этом этапе в качестве первого терапевтического ресурса мы использовали подход, основанный на терапевтической триаде, которая в основном состоит в том, чтобы привести пациентку к: *объективизации проблемы, восстановлению самооценки и восстановлению силы.*

Затем мы работали над самоактуализацией. Для этого мы сосредоточились только на тех ситуациях, с которыми можно было справиться в данный момент, поскольку она не могла вернуться к той деятельности, которой занималась до рождения детей; в этот момент ей было очень трудно осознать, что она должна сосредоточиться на ситуациях, которые может исправить только она, что она должна оставить в стороне поддержку мужа, хотя это не освобождает мужа от его обязанностей по отношению к ней и детям. Еще один момент, над которым мы работали с большой привязанностью, - это постановка целей, которая связана с пунктом терапевтической триады восстановления силы, и это помогло ей восстановить продуктивное видение себя; мы много работали над этой частью, чтобы восстановить ее ухудшенное представление о себе, то есть восстановить ее самооценку, и остановить абсолютистские, негативистские и повторяющиеся мысли, в которые она впадала и которые вызывали у нее столь же повторяющиеся чувства обесценивания и безнадежности. В итоге, примерно через полтора года длительной привязанности и терапевтической работы, ей удалось вернуть себе значительную часть родительской и семейной жизни. И, наконец, она закончила системную модификацию себя перед лицом постоянных ситуаций, которые продолжали возникать перед ней.

Глава 2

Определение и развитие физического и психического здоровья

Определение и концептуализация слов "здоровье" и "психическое здоровье" в какой-то степени может показаться простой задачей, поскольку она заключается в поиске значения слов и, во многих случаях, в обнаружении этимологического корня, что позволяет приблизиться к истинному значению слова, затрачивая лишь минимальные усилия на поиск понятий, разумеется, при условии поиска в соответствующих источниках. Однако цель этой главы - не только дать определение словам, но и выйти за ее пределы, то есть попытаться наметить путь к обретению и поддержанию физического и психического здоровья.

Для того чтобы решить эту задачу определения, целесообразно рассмотреть несколько толкований, которые могут обеспечить необходимые элементы для укрепления концепции здоровья. Например, согласно словарю Королевской академии испанского языка (2000), слово "здоровье" происходит от латинского *salus* и обозначает состояние, при котором организм нормально выполняет все свои функции, добавляя, что это физические условия, в которых организм находится в данный момент. С этой точки зрения здоровье состоит из оптимального состояния и функционирования; таким образом, это определение предполагает, что здоровье субъекта может быть рассчитано с точки зрения формы и функционирования, в которых он находится в данный момент.

С другой стороны, с точки зрения этимологии, слово "здоровье" происходит от латинского *salus, salutis*, а отсюда происходит глагол *salutare,* что означает: желать здоровья; в этом определении добавляется, что по обычаю римлян это слово возводилось на престол вместе с благотворными словами, придавая ему качества богини здоровья. Корнем является прилагательное *salvus*, которое подразумевает целостность и безопасность и которое иногда используется в аллитеративном выражении[40] "*sanus salvus*", здоровый и безопасный. Salvus имеет индоевропейский корень, который присутствует в санскритском *sárvah*, что равно целому, и в греческом holos, что означает целый или целый; таким образом, глагол *salvere* подразумевает быть в добром здравии и, следовательно, целым.

Как видно, это определение вновь укрепляет концепцию здоровья в смысле функционирования и целостности, то есть для того, чтобы человек мог функционировать, он должен быть целостным. То есть целостным. С другой стороны, словарь по психологии и педагогике (2004) утверждает, что здоровье - это позитивная концепция, которая не только подразумевает отсутствие болезни, но и рассматривает оптимальное функционирование организма, которое делает возможным его максимальное физическое, психологическое и социальное благополучие.

К последнему определению можно добавить, что здоровье также включает в себя отсутствие болезней, и далее утверждается, что оно подразумевает максимальное благополучие в трех измерениях человека: физическом, социальном и психологическом. С этой последней точки зрения можно определить, что здоровье - это состояние, основанное на текущих условиях. То есть оно рассматривает только настоящее. То есть здоровье, которым человек обладает в данный момент и которое позволяет ему хорошо функционировать при отсутствии болезни; таким образом, чтобы быть в контакте с хорошим здоровьем, необходимо поддерживать

---

[40]от лат. ad, a и littéra, буква), заметное повторение одного и того же звука или звуков, особенно согласных, в предложении.
Фигура, которая с помощью заметных повторений фонем, особенно согласных, вносит свой вклад в структуру (*Большой иллюстрированный энциклопедический словарь Ридерз Дайджест 1979*).

текущее состояние в течение времени. По этой же причине, говоря о здоровье, необходимо учитывать, что здоровье - это процесс постоянного поиска, поскольку целью является нахождение организма в оптимальных условиях работы. Определяющими факторами здоровья являются именно питание, активность и отдых. По сути, можно сказать, что для правильного функционирования организма потребление питательных веществ должно быть цикличным.

Однако прежде чем углубиться в эти рассуждения, необходимо определиться с понятием питания, которое происходит от латинского слова *nutrire*, означающего: "увеличивать вещество животного или растительного тела с помощью пищи, восстанавливая части, утраченные в результате катаболизма". Конкретно это означает, что в результате органического функционирования и регулярной деятельности энергия расходуется, и, соответственно, восполнение питательных веществ становится циклическим. Если по каким-то причинам поступление питательных веществ затягивается или сокращается, то рано или поздно этот факт (недостаток поступления пищи) отразится в сбое, и в этот самый момент здоровье исчезнет; Теперь условия не оптимальны, поскольку организм с помощью какого-то сигнала показывает, что он больше не здоров, а наоборот, нуждается в пополнении своих запасов или питательных веществ, и для этого в организме происходит гомеостатическое изменение, то есть возникает электролитический или калорийный дисбаланс, и появляются сигналы жажды или голода, которые, пока о них не позаботятся, будут в значительной степени ограничивать оптимальное органическое функционирование.

По этой причине можно утверждать, что здоровье - это не просто стабильная фаза, которая длится на протяжении долгого времени. На самом деле это процесс непрерывного и постоянного поиска, который требует постоянного и тщательного наблюдения, поскольку это состояние, не будучи строгим, регулярно изменяется каждые пять-шесть часов, и поэтому поиск здоровья становится константой, которую нужно постоянно решать.

Однако для определения питательных веществ, которые должны поступать в организм, как уже говорилось выше, необходимо очень внимательно изучить выполняемую деятельность, то есть продукты, которые обычно употребляются в пищу. Многие из них потребляются скорее по принципу доступности или из-за ощущения определенного вкуса, чем исходя из потребностей организма. Таким образом, потребности в калориях могут варьироваться от одного человека к другому в зависимости от многих факторов, таких как возраст, вес, рост, пол, раса, соматотип, темперамент и т. д., но эти факторы обусловлены, прежде всего, физической активностью субъекта. Разница в потреблении между одной и другой работой может быть значительной; например, мы можем заметить, что расход калорий, необходимый для одного часа интеллектуальной работы, может составлять 1,75 калорий в минуту, в то время как для людей, выполняющих тяжелую работу, требуется 1045 калорий. Таким образом, очевидно, что человек, который преимущественно занимается статической деятельностью, определенно будет иметь более низкие потребности в калориях, чем люди, которые выполняют свою работу очень динамично и даже физически.

Однако еще один элемент, который следует учитывать в потребностях человека, связан с отдыхом; другими словами, в состоянии абсолютного покоя (*базальный* метаболизм) потребление калорий минимально, в то время как оно пропорционально увеличивается при физической активности (*расход энергии*). Таким образом, потребность в калориях - это сумма базального энергетического обмена и потребления любой другой формы энергии, и удовлетворяется она количеством и качеством пищи, потребляемой в течение 24 часов.

На самом деле существует принцип Харриса Бенедикта, который используется для оценки базальной скорости метаболизма (BMR), и с помощью этого принципа, следуя соответствующей формуле, можно определить необходимое количество калорий в зависимости от веса, роста и возраста. Этот же показатель позволяет рассчитать количество калорий в зависимости от пола. Немаловажным фактом в этом методе является то, что женщинам требуется большее количество калорий, чем мужчинам. Причина этого, полагаю, связана с гормональной активностью, которая у женского пола определенно выше.

Учитывая эту информацию, можно считать, что в отношении питания прежде всего необходимо определить, что именно потребляется. Необходимо определить, что именно преимущественно употребляется в пищу, ведь человеку вообще свойственна склонность к профессиональной рутине. Это выражается в том, что рутины не только осуществляются в поведении и установках, но и устанавливаются в отношении пищи; этот момент, если перенести его на повседневную жизнь, показывает нам, что репертуар потребления пищи в целом постепенно становится все более компактным и незаметным образом часто оказывается очень скудным по питательному разнообразию и обильным по калорийности, что в конечном итоге приводит к постепенному накоплению организмом калорий и этому же процессу, к избыточному весу.

Таким образом, при такой тенденции в пищевом поведении стоит обратить внимание не только на то, что едят, но и на то, сколько определенных продуктов едят и в какое время суток их едят. Такое размышление о питании имеет реальный практический смысл, поскольку с точки зрения психологии здоровья (Oblitas Luis A. 2006), среди многих других практических вопросов, один, в частности, касается привычек, связанных с улучшением здоровья (Bellack 1973).[41]

Этот исследователь, опросивший более 7000 взрослых людей на предмет их привычек, следил за ними в течение пяти с половиной - девяти с половиной лет и смог выделить семь привычек, связанных с улучшением здоровья. Они перечислены ниже:

*   Спите 7 - 8 часов,
*   Завтракайте ежедневно,
*   Не ешьте между приемами пищи или ешьте редко,
*   Поддерживайте вес, соответствующий росту,
*   Курение запрещено,
*   Умеренно или совсем не употребляют алкоголь
*   Регулярная физическая активность.

В результате проведенного исследования он пришел к выводу, что существует два образа жизни: здоровый образ жизни и свободный образ жизни. С двумя измерениями, которые квалифицируются как:

a) Трезвость: определяется поведением, которое включает в себя отказ от курения, здоровое питание и воздержание от алкоголя.

b) Активность или размеренность: определяется участием в спорте и регулярными физическими упражнениями, поддержанием низкого индекса массы тела.

Таким образом, свободный стиль характеризуется поведением, полностью противоположным предыдущему, например, употреблением алкоголя, нездоровой пищей и пренебрежением к внешнему виду.

Таким образом, основываясь на этой модели привычек, связанных с хорошим здоровьем, можно обосновать важность того, что мы едим, сколько мы едим и в какое время мы едим,

---

[41] Луис А. Облитас (*Психология здоровья и качество жизни,* 2006)

учитывая, что две привычки, связанные с едой, в частности, влияют на эти модели здоровья. Первая, связанная с завтраком, позволяет нам представить важность этого этапа в процессе приема пищи, конечно, если рассматривать его с физиологической точки зрения. В этом есть большой логический смысл, поскольку, с одной стороны, завтрак снижает гипогликемию. Следовательно, человек, который завтракает в правильном количестве и качестве, обеспечивает свой организм достаточным количеством энергии, чтобы справляться с требованиями повседневной жизни; а с другой стороны, потому что хороший завтрак значительно ограничивает базальную секрецию и тем самым существенно снижает вероятность изменения слизистой оболочки желудка из-за повышения органического pH, а значит, и гомеостатических изменений. Что касается привычки ограничивать потребление пищи между приемами, то можно заметить, что она также придает большое значение времени, в которое принято принимать пищу. И эта привычка влияет на количество и время приема пищи.

Матрица для наблюдения и записи моделей здорового образа жизни

В таблице Т2.1 (Матрица наблюдений и записей паттернов здорового образа жизни) привычки можно отслеживать еженедельно. Причина такой структуры наблюдений во многом кроется в технике самозаписи, которая позволяет получить точную обратную связь о том, какой образ жизни человек обычно ведет, и в то же время дает возможность выбрать привычку для наблюдения и наметить конкретные направления действий, над которыми нужно работать. В этом разделе стоит дать рекомендацию, которая заключается в том, чтобы сосредоточиться только на одной привычке за раз, так как если пытаться действовать со всеми привычками, то можно впасть в перенасыщенность действий, что далеко не всегда полезно для субъекта, а может спровоцировать стресс (негативный стресс); Это происходит потому, что каждая привычка сама по себе подразумевает переосмысление образа жизни, и поэтому попытка выполнить несколько действий одновременно может, как объяснялось выше, вызвать избыток внимания, и тогда возможно, что эта же концентрация энергии вызывает насыщение внимания и, следовательно, изменение фаз стресса (Selye H.1963), поэтому важно именно способствовать аутореакции (позитивному стрессу).

Привычки	Понедельник	Вторник	Среда	Четверг	Пятница	Суббота	Воскресенье	Итого
Спите 7-8 часов ежедневно								
Завтракайте ежедневно								
Избегайте переедания между приёмами пищи								
Избегайте fUmar								
Эвитартомар алкоголь умеренно								
Поддерживать вес на уровне талии								
Регулярно занимайтесь физической активностью								

Случаи и общая сумма								

Таблица Т2.1 Матрица наблюдения и регистрации паттернов здорового образа жизни

Итак, способ наблюдения и записи этих паттернов здоровья очень похож на тот, что был представлен в предыдущей главе в связи с прикладным поведенческим анализом. Прежде всего, предлагается начать записывать в любой день недели. Единственное, что важно, - это начать с того порядка, в котором паттерны будут наблюдаться в течение дня, и, как видно, они расположены в хронологическом порядке, чтобы их можно было заполнять в течение дня. Эта схема наблюдений, в отличие от таблицы Т1.2, записывается только в тот момент, когда выполняется соответствующий паттерн, поэтому ее очень легко отслеживать.

Давайте посмотрим, как его заполнять, ведь нас интересует процент эффективности; в этом случае мы можем заметить, что каждая привычка составляет примерно 14,28%, следовательно, каждый день - 2,04%; так что если мы сложим их, например: мы увидим, что наш испытуемый "образец" получил в отношении привычки номер один 10,20% эффективности; то есть он смог спать в указанном диапазоне в течение пяти дней недели, причем во вторник он спал меньше, а в субботу - больше. Здесь неважно, меньше или больше, важно, что это соответствует предложенному диапазону.

Что касается употребления алкоголя, то ВОЗ (Всемирная организация здравоохранения) считает, что рекомендуемое количество алкоголя в день должно составлять от 30 до 40 граммов. Способ определения количества алкоголя в граммах очень прост, на самом деле существует расчет, который поможет вам получить эту информацию.

Общепринятое число множителя для этого расчета - 8. Оно всегда применяется в формуле. Конкретно она выглядит следующим образом: вы записываете содержание алкоголя в выпитом напитке и умножаете его на 8; полученный результат, в свою очередь, умножается на количество выпитого, выраженное в литрах.

На практическом примере, чтобы иметь более конкретное представление, это выглядит так: треть банки обычного пива с содержанием алкоголя около 5 градусов (почти все марки, доступные в Мексике, имеют такое содержание алкоголя), даст вам около 13,2 грамма алкоголя. Давайте произведем расчет, чтобы вы поняли, насколько он прост: 5 (содержание алкоголя) x 8 (общий множитель) = 40. 40 x 0,33 (одна банка пива) = 13,2. Это означает, что вы можете выпивать литр пива в день, не вызывая значительных проблем с печенью или пищеварением.

Таким образом, и в этом случае наш испытуемый не употреблял алкоголь в течение недели, однако к выходным он превысил допустимую норму, не будучи пьяным, но в итоге выпив больше допустимого количества. Таким образом, предполагается, что за два дня он не поборол эту привычку, и поэтому она зафиксирована в его матрице наблюдений.

Что касается привычки номер шесть, то на данный момент наш подопытный страдает избыточным весом, что отражается на его талии, поэтому, пока он не уменьшит эти сантиметры на талии, он не сможет прибавить ни одного процента.

Что касается седьмого вида деятельности, то мы видим, что наш пример был физически активен в течение пяти дней по 30 минут в день на стационарном велосипеде, так что за неделю ему удалось накопить в общей сложности 10,20 % эффективности.

Наконец, в конце таблицы добавляется раздел, в котором можно записать возможные происшествия, которые могли помешать успешному достижению цели и которые могли иметь значение. Это место также можно использовать для записи тех повседневных событий, которые иногда остаются незамеченными, но в какой-то момент могут ограничить стремление к здоровому образу жизни. Возможность отметить эти, казалось бы, единичные случаи может в конечном итоге позволить нам найти возможные решения этих проблем.

Получив частичные суммы по горизонтали, переходим к суммированию по вертикали, и в итоге видим, что наш испытуемый достиг 71,40 % эффективности в привычках, связанных со здоровым образом жизни.

Привычки	Понедельник	Вторник	Среда	Четверг	Пятница	Суббота	Воскресенье	Итого
Спите 7-8 часов ежедневно	Т		Т	Т	Т		Т3[1]	10.20 %
Завтракайте ежедневно	Т	Т	Т	Т	Т	Т	Т3[2]	14.28 %
Избегайте переедания между приёмами пищи	Т	Т	Т	Т	Т	Т33		12.24 %
Избегайте fUmar	Т	Т	Т	Т	Т	Т	Т34	14.28 %
Эвитартомар алкоголь умеренно	Т	Т	Т	Т	Т35			10.20 %
Поддерживать вес на уровне талии								
Регулярно занимайтесь физической	Т	Т	Т	Т	Т3[7]			10.20 %
Случаи и общая сумма								**71.40 %**

Таблица Т2.1 Матрица наблюдения и регистрации паттернов здорового образа жизни

Таким образом, в этой модели измерений видно, что процент эффективности нашего испытуемого составляет 71,40%, что позволяет сделать два вывода: во-первых, ему осталось всего 28,60% до достижения максимального уровня эффективности в достижении здорового образа жизни; и во-вторых, на основе этой же таблицы наблюдений и записей тот же испытуемый может определить, какой привычке и в какой день ему нужно уделять больше внимания, чтобы повысить процент эффективности. Лично я предлагаю записывать только те дни и привычки, которые были успешными, а те дни и привычки, которые не были успешными, оставлять пустыми. Цель этого - закрепить поведение, направленное на здоровый образ жизни, а тот факт, что вы оставляете пустым поле, где вы ничего не достигли, создает ощущение, что вы стремитесь исправить ситуацию, и поэтому, если вы добавите крестик или крестик, это может вызвать чувство раздражения или разочарования; вы должны поощрять людей пытаться исправить ситуацию, вместо того чтобы вызывать разочарование.[42]

---

[31] Предположим, что предложенный диапазон сна достигнут, тогда укажите день недели, в который была реализована эта привычка, и укажите его.

Детерминанты и определяющие факторы здоровья

Давайте подумаем, что с учетом того, что мы рассмотрели до сих пор, и после того, как был проведен настоящий анализ собственного существования, уместно посвятить несколько минут следующим размышлениям:

Рассмотрев предложения, которые были представлены до сих пор, можно сделать вывод, что уже есть достаточно убеждений, чтобы попытаться стать здоровым человеком, но также есть желание продолжать наслаждаться удовольствиями жизни, которые включают в себя большое разнообразие вариантов, и в рамках этого большого разнообразия, как предполагается, есть удовольствие от еды.

Это поляризованное чувство (желание съесть кусочек торта, но, с другой стороны, нежелание потолстеть) может привести к возникновению своего рода антагонистической мотивации. Может сосуществовать стимул насладиться восхитительным вкусом куска торта, но, с другой стороны, столь же сильное желание лишить себя удовольствия съесть этот кусок. Это несколько дискомфортное ощущение, называемое в психологии "дихотомией", провоцирует конфликт в субъекте. Столкнувшись с необходимостью выбора, субъект оказывается перед проблемной ситуацией, требующей решения, поскольку происходит психическая активация, учитывая наличие двух одновременных тенденций к действию (есть или не есть), и таким образом эта дихотомия вызывает психическое напряжение, которое отражается на эмоциональном состоянии субъекта, поскольку существует прямая связь между побуждением и избеганием; и чем теснее эта связь, тем сильнее конфликт.

Льюин (1938) сформулировал теорию конфликта, в которой он рассматривал три основных конфликта, а позже Миллер (1944) добавил еще один:

Первый, который нам интересно рассмотреть в этом разделе, он назвал: "Приближение - Приближение": и этот тип конфликта проявляется в том, что существует конкуренция между двумя возможными ответами (есть или не есть); при этом получение одного ответа (есть), безвозвратно влечет за собой потерю другого (не есть). Это ощущение, когда хочется сделать что-то для удовольствия, но в то же время хочется сделать что-то, чтобы позаботиться о себе, приводит к повышению уровня телесной энергии (драйва), что отражается в повышении эмоционального отклика, то есть в эмоциональных колебаниях (радость, удивление, печаль, страх, отвращение, гнев), что, очевидно, зависит от темперамента и личности субъекта, переживающего этот конфликт.

Эти эмоции могут привести к изменению когнитивной реакции. Проще говоря, субъект испытывает неопределенность в отношении своей способности принимать решения и, следовательно, испытывает когнитивный диссонанс (Festinger 1958). Говоря конкретнее, субъект испытывает диссонанс, несоответствие, противоречие, инконгруэнтность,

---

Таким образом, сумма этих привычек составляет 10,20 % эффективности.
[32] В этом случае получается общее возможное значение, а значит, суммарная эффективность составляет 14,28 %.
[33] В данном случае их получилось шесть. Таким образом, общая эффективность составляет 12,24 %.
[34] И в этом случае получается общее возможное значение, поэтому эффективность составляет 14,28 %.
[35] В этом разделе нашему испытуемому удается прожить пять дней без употребления алкоголя, поэтому его эффективность составляет 10,20 %.
[36] В данном разделе наш испытуемый не покрывает этот пункт, так как имеет несколько избыточный вес.
[37] Аналогично, в этом разделе нашему испытуемому удается прожить пять дней без употребления алкоголя, поэтому его эффективность составляет 10,20 %.
[38] Общая эффективность, достигнутая к концу одной недели, составила **71,40%**.

несоответствие или несогласие с ситуацией приема или отказа от приема пищи.

Такая ситуация обычно решается просто: "Ну, в конце концов, это всего лишь маленький кусочек", или "Я пропущу ужин", или "Завтра я сделаю больше упражнений"; иными словами, обычное решение такого рода конфликта - это поесть и пообещать себе, что в будущем он будет избегать или делать какую-то компенсационную деятельность; или что-то вроде наказания или компенсации. А на деле все заканчивается тем, что человек не делает или избегает, а это, в свою очередь, приводит к неприятному ощущению бесполезности, которое рано или поздно провоцирует самооценку, выражающуюся в потере уверенности в себе.

Формирование здоровой самооценки

После того как мы рассмотрели все сложности здорового образа жизни и получения удовольствия, настало время принять меры для достижения баланса между нашими вкусами и реальными потребностями нашего тела. Нет лучшего способа достичь этого вожделенного баланса, чем шкала здоровой самооценки[43] .

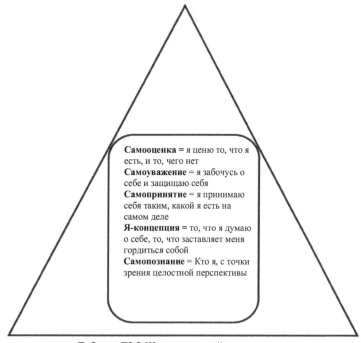

Самооценка = я ценю то, что я есть, и то, чего нет
Самоуважение = я забочусь о себе и защищаю себя
Самопринятие = я принимаю себя таким, какой я есть на самом деле
Я-концепция = то, что я думаю о себе, то, что заставляет меня гордиться собой
Самопознание = Кто я, с точки зрения целостной перспективы

Таблица Т2.2 Шкала здоровой самооценки

Патриция Клегхорн в своей книге "*Секреты самоуважения*" (2003) представляет ряд весьма эффективных техник, цель которых - внести значительный вклад в развитие навыков, обеспечивающих здоровую самооценку; эти техники позволяют постепенно наблюдать за

---

[43] *(http://es.scribd.com/doc/18714477 Лестница здоровой самооценки)*

собой и в той же степени обеспечивают ресурсы для решения этой задачи. Однако в рамках данного раздела мы рассмотрим лишь некоторые из этих предложений, а остальные будут рассмотрены на основе практического опыта данного автора.

Без лишних слов можно заметить, что в таблице Т2.2 указаны пять концепций, связанных с представлением о себе, то есть пять аргументов относятся к разным аспектам, но все они имеют отношение к одному и тому же пункту (здоровая самооценка). Восхождение и развитие должны быть поэтапными, постоянными, последовательными, конгруэнтными и ориентированными на самость. Как объяснялось выше, должен быть мандат[44] ; то есть человек должен: знать, хотеть и быть в состоянии осуществлять действия над собой, чтобы построить платформу роста с прочными структурами, которые позволят ему построить чувствительную и прочную личность, способную познать себя, принять себя, уважать себя, любить себя, но, прежде всего, способную верить в себя и доверять своему потенциалу. Давайте теперь рассмотрим шаги, которые необходимо предпринять, чтобы подняться по лестнице здоровой самооценки.

Самосознание

Cognoscere означает: выяснять с помощью своих интеллектуальных способностей природу, качества и отношения вещей. Таким образом, познание самого себя подразумевает интеллектуальную способность распознавать свои собственные качества и, в той же степени, свои ограничения. Аналогично этому, оно включает в себя отношение к себе, к своей собственной природе, к своей собственной генетике и, исходя из этого, к своему отношению к другим и к вещам.

Самопознание предполагает знание и признание собственных способностей, которые можно развить благодаря наследственности, но которые в силу различных обстоятельств остаются нераскрытыми. Самопознание предполагает большее знание о себе, осознание реальных потребностей, которые необходимо удовлетворить, чтобы обеспечить себе реальное облегчение; это поощрение проявится психологически через чувство внутренней гармонии, что, в свою очередь, приведет к душевной открытости и психологической готовности, достаточной для раскрытия собственного потенциала для самореализации.

Самостоятельная концепция

Понятие происходит от латинского *conceptus* и относится к идее, которая зарождается или формируется в процессе понимания. Это означает мысль, выраженную в словах и позволяющую тому, кто ее высказал, иметь мнение или суждение о чем-то или о ком-то, а значит, дающую ему или ей кредит доверия или признания. Самоконцепция находится в тесной связи с самопознанием, поскольку, зная себя, можно отдать себе должное или признать себя на основе опыта самоисследования и самопонимания. Ведь акт понимания позволяет охватить, окружить, окружить со всех сторон нечто. Это нечто - не кто иной, как вы сами. Самопонимание приносит с собой гордость за то, что ты есть и существуешь, и, в свою очередь, заставляет человека не быть столь суровым и не быть столь бессердечным по отношению к самому себе.

Самопринятие

---

[44] Вега Баэс Х.М. (*Румбо а ла Сима 2002*)

В попытке продолжить ту же динамику концептуализации от семантики, мы можем увидеть, что принятие происходит от латинского *acceptatio, -onis,* что является действием и эффектом принятия и, следовательно, одобрения и аплодисментов. Следовательно, самопринятие - это принятие себя, оно подразумевает ответственность за одобрение себя. Вот как просто добиться самопринятия. Другими словами, это конкретное действие, которое включает в себя убежденность в том, чтобы молчаливо и безоговорочно принимать и принимать то, что есть.

"Я - это я и никто другой, то есть я - это я и мои обстоятельства, но чтобы решить это, я должен обладать некоторыми убеждениями относительно того, что меня окружает, и только таким образом я смогу жить" (Ортега-и-Гассет, 1914).

Самоуважение

Уважение происходит от латинского *Respectus,* что означает внимание, рассмотрение, почитание, уважение, рассмотрение, почтение. Возможно, когда речь идет о почитании себя, это может показаться в какой-то степени эгоистичным, но если мы снова обратимся к смысловой концепции, заложенной в акте почитания, который подразумевает уважение к кому-либо за его достоинства или великие добродетели, то увидим, что почитание себя, строго говоря, не является витийством. Вспомним, что само это слово подразумевает уважение и внимание, так что самоуважение - это не что иное, как признание собственных достоинств и, как следствие этого, внимательное отношение к себе. Таким образом, способ почитания себя проявляется в заботе и уважении себя через самопознание и самопринятие, потому что после того, как задачи самопознания были решены, самопознание и, следовательно, самоуважение становятся возможными благодаря этому переоткрытию.

Самооценка

Теперь мы подошли к последней ступеньке этой лестницы. Теперь мы знаем, что уважение предполагает рассмотрение и оценку, а рассматривать что-то можно только тогда, когда знаешь, что оно существует; поэтому сейчас, на этой ступеньке и после того, как различные ступеньки были преодолены одна за другой, можно выкристаллизовать, что рассматривать - значит принимать во внимание, то есть признавать, что человек существует, и теперь остается только оценить работу, которой вы стали, учитывая, что эта великая работа под названием человеческое существо (**вы сами**), прошла через ряд фильтров под названием: опыт. Эти переживания, которые, помимо нюансов, несут в себе качество, поэтому сегодня остается только заботиться и уважать то, чем вы стали, и всегда уважать обстоятельства этого процесса. Главное откровение в зените шкалы заключается в том, что жизнь, как и человеческое тело, представляет собой константу, и это:

Существование человека всегда будет динамичным и развивающимся, поэтому необходимо научиться жить со взлетами и падениями, медом и желчью, моментами, которые нужно вызвать, и моментами, которые нужно забыть.

Однако что не может быть динамичным, так это самооценка, потому что именно она позволит нам в значительной степени взвесить тяготы и безвкусицу сильных переживаний, а узнав о значимости самооценки, мы в том же духе примем свои собственные обстоятельства, какими бы неприятными они ни были. Самое замечательное в адекватной самооценке - знать и признавать, что мы всегда находимся в постоянном процессе и никогда не станем готовым продуктом.

Осознание себя в противовес стремлению к принадлежности

"Атрибут относится к каждому качеству или свойству существа, можно сказать, что атрибут - это душа или сущность каждого человеческого существа. Мы ощущаем свое тело, а не какое-либо другое, из чего можно сделать однозначный вывод, что душа соединена с телом, поскольку это соединение является причиной данного ощущения"[45] . Атрибут - это то, что интеллект воспринимает в субстанции как составляющее ее сущность; атрибуты - это бесконечные, неделимые, обширные, потенциальные и совершенные субстанции.

Бесконечное этой субстанции - мысль, неделимое отсылает к тому, что человек отвергает дуализм. Человек может быть только самим собой, поскольку субстанция неделима по отношению к экстенсивному; референтом этого является мысль, и это не единственное выражение субстанции, но также распространяется на телесное. Спиноза[46] (1663), "считает, что у каждой вещи есть причина, по которой она существует, а также причина, по которой она не существует. Мы - часть природы, и все, что существует в природе, - это причины и действия; кроме того, он добавляет, что чем больше мы знаем о природе, тем ближе мы к божеству, поэтому нет необходимости понимать странное и чуждое природе, ибо эта природа - наша связь с богом". И далее он добавляет: "Право природы простирается настолько, насколько простирается ее сила, а сила природы - это сила Бога. Сила природы существовать и действовать больше, чем мышление, и в каждой вещи природы есть зародыш силы и способности к ее совершенствованию, поэтому природа совершенна, поскольку она живет, и нет большего несовершенства, чем то, что она не существует". Таким образом, совершенство начинается с существования, то есть с внимания к собственной природе, то есть к самому себе.

Это размышление Спинозы (1663) о связи между природой и бытием позволяет нам задуматься о двух вещах: **силе и потенции.** Мы, будучи частью природы, существуем и действуем в соответствии с потребностями нашей природы, то есть нашего тела. В той мере, в какой мы удовлетворяем потребности своего тела, в той же мере мы существуем; а существование заключается в удовлетворении наших собственных потребностей, поскольку мы обладаем властью делать или не делать в соответствии с нашей собственной природой. С другой стороны, потенция означает способность человека достигать совершенства, а оно достигается путем внимания к собственной природе, с помощью которой он осуществляет потенцию.

Отсюда следует простой вывод: **сила и потенция** равны заботе, защите, ласке и сохранению природы. А человек, будучи природой, существует и действует; поэтому он заботится, защищает, лелеет и оберегает себя, учитывая свои собственные потребности. Итак, мы видим, что совершенство существует в самом себе, и оно реализуется в той мере, в какой человек учится заботиться о себе и защищать себя в соответствии со своей собственной природой, то есть своей собственной индивидуальностью.

Существование предполагает индивидуальность, которая есть тенденция к существованию в бытии, а бытие индивидуально, поэтому оно существует, оно есть в мире и оно этично. Таким образом, сила человека заключается в том, чтобы быть и заботиться о себе. А это, соответственно, предполагает развитие собственных качеств. Это очень глубокое понимание человека голландским философом Бенедиктом Спинозой (1632-1677) в значительной степени подтверждает то, что было выражено ранее в шкале здоровой самооценки (таблица F2.2), - важность процесса самопознания собственных потенциальных возможностей. В той мере, в какой человек развивает свои потенциалы, он направляет себя на дальнейшее развитие личности и природы, а также на усиление собственной самореализации.

Сохранение такой ориентации будет способствовать уважительному и сбалансированному поведению по отношению к природе, а также принятию свойств собственной человеческой природы, и, следовательно, это отразится в лучшем восприятии реальности, а значит, и в

---

[45] Коррес А. П. (*Память забвения* 2000)
[46] Там же.

осознании Я.

Когда это осознание обостряется, оно приобретает практический смысл, поскольку *осознание Я в сравнении со стремлением принадлежать становится* явным. Давайте посмотрим, что значит быть в стремлении принадлежать. Эту тенденцию можно наблюдать, когда человек теряется в вещах других, то есть существует в состоянии слияния, что означает: жить там, где сходятся пути. Какие пути? Ну, пути и транзиты других! Человек замечает и приписывает себе силы, которые ему не принадлежат, и поэтому учится жить в страданиях, потому что в других есть добродетели, которых нет в нем самом, и эти страдания выражаются в зависти, что нерационально, поскольку лучше заниматься своими собственными добродетелями, которые в конечном итоге являются теми, которыми он обладает, и только их можно укрепить. Зависть к другим - это настоящая трата времени и энергии, которая ограничивает собственное существование, поскольку единственное, что можно делать, - это созерцать, и в этом процессе расходуется много энергии, которую, напротив, можно использовать для укрепления собственных возможностей.

В значительной степени, однако, человек учится идти по жизни, наблюдая за собой с точки зрения своих недостатков, то есть завидуя другим. И это происходит потому, что человек научился жить, стремясь к тому, что есть у других или чем они обладают. Тем самым пренебрегая сущностью и силой, которыми обладает сам человек.

Жить таким образом - значит сливаться, а это влечет за собой высокую цену, которая заключается в отрицании или презрении к собственной потенции. То есть слияние противостоит сущности, а значит, возникает препятствие для атрибутов присутствия. То есть существования. Это препятствие атрибутам проявляется в отрицании себя, что выражается в самонаказании, как человек наказывает себя по ходу жизни, отрицая себя! Иными словами, человек живет и движется по миру, затерявшись среди чужих вещей.

Убежденность и характер

В разделе, посвященном шкале здорового самоощущения, говорилось о том, что для достижения полного самопринятия необходимо убеждение в необходимости безоговорочно принимать и принимать себя таким, какой есть; то есть необходимо глубокое убеждение в своих обстоятельствах и в том, каковы вещи вокруг, и только так, в общем, можно жить (Ortega y Gasset 1914), но что такое убеждение и в чем оно заключается? Убеждение происходит от латинского *convictio, -onis*, что означает убежденность, которая, в свою очередь, заключается в действии и эффекте убеждения с помощью религиозных, этических или политических идей. В принципе, о человеке, обладающем убежденностью, говорят, что он сильно привязан к своим идеям, будь то религиозные, политические или этические. Таким образом, человек, обладающий убежденностью, демонстрирует себя другим с уверенностью и убежденностью в том, что он действительно является таковым. Иными словами, в полном самопринятии своих обстоятельств.

Следовательно, для того чтобы попытаться приблизиться к себе в соответствии с собственными обстоятельствами, необходимо было подняться по лестнице здорового самоуважения, поскольку этот восходящий транзит в поисках себя позволяет укрепить убежденность и приверженность тому, кто он есть. Что может быть лучшей наградой, чем убежденность в собственном существовании?

Однако убежденности в собственном существовании недостаточно для осуществления власти. Необходимо учитывать характер, чтобы дополнить и укрепить ментальную структуру, которая позволит думать и действовать в соответствии с тем, что правильно для себя в будущем; это понятие убежденности и характера подтверждает первоначальное представление о себе. А если идти по жизни с такой убежденностью и характером, то это в конечном итоге приведет к эмоциональному и поведенческому самоконтролю. Это выльется в развитие качеств, которые на первый взгляд трудно различить; однако эти условия будут отражены в конкретных установках спокойствия, терпения и мудрости.

Короче говоря, с безоговорочной убежденностью в том, что все делается правильно. При таком отношении результаты придут скорее раньше, чем позже, поскольку человек знает, что терпение само по себе укрепит его характер, и в конце концов, как результат непрерывных усилий, он накопит мудрость, необходимую для того, чтобы определить, что делать перед лицом ежедневных требований самой жизни. При таком отношении можно даже впасть в ошибки или сомнения, а также испытать некоторое разочарование в случае неудачи, но не чувство осуждения самого себя. Будет еще хуже, если вы даже не попытаетесь что-то сделать, когда знаете, что у вас есть ресурсы, чтобы справиться с любым препятствием, которое встанет на вашем пути.

Дэн Миллман[47] утверждает, что мы можем контролировать только усилия, но не результаты. Поэтому убежденность и характер помогут сосредоточиться на усилиях, которые необходимо приложить для достижения результатов. Далее он добавляет, что первый результат проясняется в отношении к спокойствию, терпению и мудрости; эти действия становятся очевидными при осознании того, что нельзя напрямую брать на себя ответственность за людей, события или результаты. Единственное, за что можно отвечать, - это собственные усилия, чтобы быть в состоянии противостоять любому препятствию, ограничивающему желание. Таким образом, убежденность и характер представляют собой прочный фундамент, на котором можно построить достаточно широкую и прочную платформу, чтобы существо, опираясь на эту великую платформу, осмелилось расти и умножать свои качества в соответствии со своими возможностями, будучи уверенным, что может, если захочет, развить свой собственный потенциал.

Ресурсы для создания платформы, укрепляющей "бытие и принадлежность".

До этого момента мы уже затронули несколько аспектов, которые могут позволить нам лучше понять самих себя. Результат этого упражнения может привести к лучшему и более точному отражению нашей собственной реальности; чтобы решить, если это необходимо, внести некоторые коррективы в те ситуации, которые требуют предпочтения способности наслаждаться рутиной, и, если возможно, скорректировать те виды поведения, которые по своей природе не могут контролироваться в одностороннем порядке. Это означает, что, как бы ни хотелось скорректировать некоторые модели поведения, многие из них зависят от внешних агентов, и перед лицом этого можно лишь сделать акцент на собственных действиях, признавая, что единственное, что можно сделать в этом сценарии, - это контролировать свое реагирование на ситуации, что очень похоже на предложенный Стивеном Р. Кови принцип 90/10, согласно которому 10% зависит от того, что с нами происходит, а остальные 90% определяются тем, как мы реагируем на то, что с нами происходит.

Предполагая, что анализ эмоциональной распространенности проведен, можно будет повысить осознанность эмоциональных колебаний и тем самым добиться большего контроля над эмоциональными реакциями. Важно отметить, что речь не идет о подавлении эмоций, напротив, предложение направлено на достижение большей осознанности эмоций; неважно, приятны ли они, главное - признать, что большая часть событий, в которые мы вовлечены, - это наша ответственность, но даже несмотря на это ситуация может выйти из-под контроля, и тогда следует признать эмоцию, независимо от того, с каким оттенком она переживается,

---

[47] Миллман Д. (*Жизнь по назначению* 2000)

попытаться контролировать поведенческую реакцию путем сознательного осмысления событий и по возможности выяснить, насколько велика наша собственная ответственность и где она заканчивается.

Этот вид умственных упражнений по мере их выполнения повышает самосознание и укрепляет волевые качества (решительность, инициативность, самостоятельность, смелость, физическую выносливость, настойчивость, дисциплинированность и уверенность в себе), которые после осознания этих качеств отражаются в последующем поведении и установках.

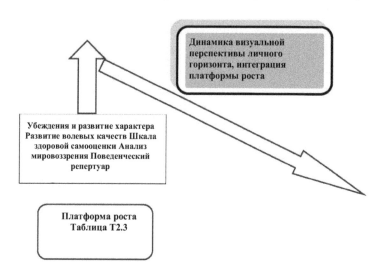

Наконец, этот процесс усилит убежденность и характер в отношении себя настолько, что эти аргументы будут служить для интеграции и вместе сформируют достаточно широкую и прочную платформу роста, которая, естественно, позволит, поднявшись на эту платформу, увеличить перспективу горизонта, к которому придется двигаться, зная, что теперь у него больше и лучше ресурсов, чтобы справиться с ежедневными требованиями, но, прежде всего, с большим осознанием себя и своих потребностей. Последнее, как мы увидим ниже, поможет этой платформе выступить в роли своеобразного сдерживающего фактора против возможных разрушительных воздействий средств массовой информации через непрекращающиеся маркетинговые сообщения, которые часто значительно изменяют восприятие реальности и, прежде всего, самого себя.

Реклама - потребитель - поиск - здоровье

Реклама и здоровье, а правильнее было бы развести эту связь и назвать ее: реклама **против** здоровья. Давайте посмотрим на это: скорее всего, вы относитесь к людям, которые начинают свою деятельность около половины пятого или, может быть, шести утра, например, не имеет особого значения, который час, скорее всего, первый импульс, который вы испытываете после пробуждения, связан с необходимостью узнать время и, скорее всего, вы используете часы или телевизор; Это делается для того, чтобы убить двух зайцев одним выстрелом (посмотреть время и узнать, какие события происходят в последнее время), дело в том, что вы все еще находитесь в постели, пытаясь прояснить свое существование (т. е. вы сонный), от планирования своих последующих действий.

Постепенно несколько минут отводится на утреннее пробуждение, когда все еще лежишь в постели, следишь за новостями, и некоторые из них не слишком приятны, поскольку показывают драматизм и варварство, до которых может дойти человек; или же мы находим какую-нибудь новостную программу, которая в несколько шутливой форме или, возможно, с большой дозой сарказма, но суть в том: Дело в том, что так или иначе, новости проникают в нашу жизнь, и некоторые из них могут даже изменить настроение из-за важности своего содержания, особенно если они связаны с собственной деятельностью. Затем, в конце новостного блока, одно за другим появляются рекламные сообщения, предлагающие одно и то же: похудеть, увеличить продолжительность жизни, повысить жизненный тонус, снизить уровень холестерина, убрать морщины, восстановить сексуальную жизнь, остановить выпадение волос, убрать морщины, изменить тон волос и т. д. Одним словом, во всех рекламных сообщениях, которые мы видим, будет скрыто двойное послание. Оно заключается в том, что мы должны любой ценой избегать быть самими собой; другими словами, реальное послание заключается в том, что мы должны изменить все то, чем мы на самом деле являемся. Если у вас есть лишний вес, вы должны купить все волшебные и, прежде всего, быстродействующие средства, предлагаемые телевизионной рекламой. Специалисты по маркетингу знают, что у человека в целом постоянно присутствуют потребности, будь то эмоциональные, аффективные, экономические, реляционные и, прежде всего, эстетические. Зная о существовании этих потребностей, они способствуют их удовлетворению с помощью своих товаров. На самом деле, очень интересно наблюдать, что в процессе изучения психологии и маркетинговой карьеры в обоих случаях значительное количество учебного времени посвящено рассмотрению различных теорий личности, основной аргумент которых - понимание поведения человека с различных теоретических точек зрения. Причины и мотивы, побуждающие человека быть и действовать так, как он действует; и точно так же они пытаются описать, какие аспекты бытия наложили отпечаток на нынешнее поведение и что в той или иной мере пытаются исправить или решить сейчас, в нынешних скитаниях.

На самом деле, я считаю это исследование очень полезным, поскольку оно позволит более формально понять многие виды человеческого поведения. Так и есть: психологи изучают теории личности, чтобы понять, осмыслить и, прежде всего, стать чувствительными к этому поведению и таким образом лучше понимать людей. С другой стороны, студенты-маркетологи изучают теории личности, чтобы знать и распознавать человеческие потребности и, основываясь на этих знаниях, предлагать продукты, которые волшебным образом решают эти потребности путем потребления продуктов, способствующих их удовлетворению. Поэтому очень важно, чтобы после того, как платформа роста была поднята, стало возможным, с таким взглядом на себя, бродить по миру потребления, не будучи загрязненным потребностями других, но, с другой стороны, заботясь только о своих собственных потребностях, принимая во внимание собственную активность и телесность. Таким образом, можно по-настоящему позаботиться о собственном здоровье.

Поэтому, если мы снова обратимся к первоначальному определению здоровья, где было сказано, что здоровье включает в себя отсутствие болезней, а также подразумевает максимальное благополучие, которое достигается в трех измерениях человека, и что этими измерениями являются: *Физическое, Социальное и Психологическое*, что подразумевает, что человек здоров, если у него нет болезней, если он способен социализироваться и, самое главное, если он учится жить, принимая, что сам наделяет вещи атрибутами, следовательно, сам оттеняет свою жизнь, и это также называется здоровой психологической предрасположенностью.

Итак, давайте увидим, что основные ресурсы для здорового образа жизни уже есть, и для того, чтобы быть здоровым, не нужно ничего покупать, нужно лишь закрепить безусловное принятие себя, а с помощью этого можно предотвратить и привить от пагубной рекламы, которая стремится заставить человека покупать, даже если она подсознательно порочит своего будущего покупателя.

Гармонизация и согласование связей между здравоохранением и психическим здоровьем

Гармония относится именно к тому пиковому моменту, когда ритм и гармония соединяются вместе. Когда существует удобная пропорция и соответствие одной вещи другой. Таким образом, кульминационная точка гармонизации между физическим и психическим здоровьем может быть определена в тот момент, когда сходится отсутствие болезни, следовательно, физическое равновесие. В то же время этот баланс вызывает приятное эмоциональное состояние, ориентированное на ощущение бытия и деятельности, поэтому ориентация тех, кто испытывает этот баланс, проявляется поведенчески в психологической диспозиции, где субъект, переживающий этот опыт, демонстрирует восприимчивое и оптимистичное поведение по отношению к жизненному опыту, и это проявляется во враждебности и желании совершать действия, направленные на увеличение ощущений благополучия. Интеграция когнитивных, эмоциональных и физических факторов объединяется, в результате чего возникает психологическая предрасположенность, позволяющая человеку смотреть на себя с оптимизмом и находить причины для существования и бытия; таким образом, он находит мотивацию, которая переходит в нахождение мотивов для действий. В этой потребности действовать субъект бессознательно намеревается сохранить ощущение благополучия, а что может быть лучше, чем совершать действия, которые не только приносят пользу себе, но и другим, которые могут воспользоваться нашим присутствием и оптимизмом.

Пять показателей психического здоровья

❖ Интерес, проявляемый к жизни

Как понять, что у вас есть интерес к жизни? Люди, которые проявляют интерес к жизни, - это люди, которые идут по улице, наслаждаясь городской панорамой, если они сталкиваются с кем-то из знакомых, они здороваются, болтают, радуются их присутствию, это люди, которые принимают непредвиденные события как часть жизни, когда ситуация выходит из-под контроля, они не реагируют на это брюзжанием и не обвиняют других в своих ошибках. Они предпочитают улыбаться, а не страдать, и если по какой-то причине им приходится страдать, они принимают страдания как часть роста, а не как божественное наказание. Люди с такими характеристиками признают важность умения смеяться, даже если речь идет о них самих; на самом деле они используют этот ресурс, потому что знают, что смех делает внутреннее и внешнее более гибким. Это выражается в том, что человек, который не улыбается, - это человек, который строг к себе, это личность, которая не позволяет себе ошибок и поэтому не терпит их в других, она считает, что серьезность сделает их более формальными и даже умными. На самом деле эти люди настолько ожесточают свой взгляд на мир, что сами не понимают, что такая серьезность ожесточает их сердца, и они избегают общения с миром. Улыбка способствует улучшению отношений с окружающими, выражается в большей открытости и принятии собственного несовершенства, а также позволяет понять несовершенство других. Еще одна особенность этих людей заключается в том, что они умеют использовать свое свободное время: читают, разговаривают, ходят в кино, на вечеринки, концерты, выставки, спортивные мероприятия и т. д. Этот интерес означает, что они не проводят время перед телевизором в надежде, что их развлекут, и не тратят время на поиск друзей в социальных сетях; напротив, они сами отвечают за свои развлечения, которые заключаются в общении с другими людьми.

❖ **Способность видеть не только препятствие, но и решение.**

Оптимизм и гибкость, проистекающие из интереса к жизни, позволяют человеку без колебаний встретить любое препятствие, потому что он знает, что если он ошибется, жизнь сама даст ему еще один шанс, он учится быть морально готовым и без колебаний повторять попытки столько раз, сколько потребуется, он избегает сожалений и жалости к себе. Если перед ним возникает проблема, он концентрирует свое внимание только на двух вопросах: на самой проблеме и на возможных решениях. Он понимает, что проблема дает ему возможность использовать свой интеллект и творческие способности, поэтому проблемы позволяют ему расти и осознавать, кто он есть на самом деле, и раскрывать потенциал, которым он обладает.

❖ **Умение распознавать качества и ограничения, основываясь на собственном потенциале.**

Когда человек осознает свой потенциал, он понимает, на что способен, и признает свои ограничения. Это отражается в том, что его Я-концепция укрепляется, он перестает быть таким критичным и суровым, что позволяет ему быть снисходительным к себе, что способствует тому, что он уважает себя и уважает таким, какой он есть, вместо того чтобы презирать себя за то, каким, по его мнению, он хочет быть, но никогда не станет на самом деле. Когда человек знает, кто он такой, признает себя и других, этот процесс приводит к тому, что он начинает воспринимать себя как защищенного перед лицом обстоятельств, что повышает его уверенность в себе; это приводит его к вере в то, что у него есть необходимые инструменты, чтобы справиться с требованиями жизни, и что он может эффективно контролировать возникающие ситуации. Он учится работать над своим потенциалом и отбрасывает собственные недостатки.

❖ **Откройте в себе способность заводить друзей и развивать социальные навыки.**

Хотя мы приходим в этот мир в одиночестве и в конце концов покидаем его тоже в одиночестве, в процессе жизни мы делаем это в компании других людей. Жизнь в компании или рядом с кем-то становится постоянным явлением в жизни, совместная жизнь и общение с другими людьми практически неизбежны с течением времени. Это приводит к мысли о том, что нужно стараться как можно больше относиться к людям дружелюбно, ведь они, как и мы сами, - существа с качествами и ограничениями, и если сосредоточиться на качествах людей, с которыми живешь, то научишься признавать индивидуальность, а внутри нее - большое разнообразие, так что не придется становиться палачами или жертвами. Желание доминировать используется для преодоления препятствий и невзгод, но никак не для господства над ближними. Они смотрят на других с удовольствием и не испытывают беспричинной антипатии. Будьте осторожны, если они часто испытывают неприязнь к людям, так как это серьезный симптом психического дисбаланса.

❖ **И, наконец, о том, как важно быть активными людьми.**

Люди с хорошим психическим здоровьем умеют быть активными и продуктивными. Им нравится их работа, они получают удовольствие от того, что делают, и постоянно ищут что-то новое или совершенствуют то, что делают. Когда они что-то производят или делают, они не пытаются показать свои способности; с другой стороны, они стремятся сделать что-то, а не доказать что-то.

❖ Как можно упростить процесс охраны психического здоровья

Люди, которые осознают, что такое психическое здоровье, узнают, что определение слова "прогресс" - это установление разницы между суммой личных свойств и качеств и обладанием большим количеством материальных благ. Таким образом, если психическое здоровье достигнуто, то прогресс достигнут, и этот прогресс действительно виден: Способность увеличивать свои личные качества и свойства.

В заключение второй главы можно отметить, что здоровье, будь то физическое или психическое, - это динамичный процесс, а значит, требует постоянного исследования. Представленные ресурсы очень практичны, поскольку позволяют в течение недели установить поведенческий диагноз в соответствии с воспринимаемой реальностью образа жизни. Который не всегда является наиболее благоприятным для самого себя. Очень важно, что эти матрицы наблюдения и записи поведения позволяют точно определить критические дни, когда здоровый образ жизни заметно изменяется.

Для этого полезно внимательно рассмотреть следующую матрицу студентки университета, которая в процессе наблюдения и записи моделей здорового образа жизни поняла, что ее нынешний образ жизни приводит к избыточному весу и плохому настроению. Она также знает, что происходит из семьи с генетической предрасположенностью к диабету, поэтому решает внести коррективы в свой текущий образ жизни, как только осознает его реальное состояние. Параллельно будет представлен клинический случай, в котором применялись различные техники, в том числе корректировка образа жизни и изменение моделей мышления на основе предыдущего измерения. Этот случай иллюстрирует, насколько сложным и пагубным может быть отсутствие своевременного внимания к образу жизни и потоку абсолютистских мыслей.

Матрица для наблюдения и записи моделей здорового образа жизни [48]

Месяц: День: Год: Имя:

Привычки	Понедельник	Вторник	Среда	Четверг	Пятница	Суббота	Воскресенье	Итого
Спите 7-8 часов ежедневно		Ψ				Ψ	Ψ	6 %
Завтракайте ежедневно	Ψ	Ψ	Ψ	Ψ	Ψ			10 %
Избегайте переедания между приёмами пищи	Ψ	Ψ	Ψ	Ψ	Ψ			10 %
Избегайте курения	Ψ	Ψ	Ψ	Ψ	Ψ	Ψ	Ψ	14 %
Эвитартомар алкоголь умеренно	Ψ	Ψ	Ψ	Ψ	Ψ	Ψ	Ψ	14 %

---

[48] Общая эффективность к концу недели составила **62 %**.

Поддерживать вес на уровне талии								
Регулярно занимайтесь физической активностью	Ψ	Ψ	Ψ	Ψ				8 %
Случаи и общая сумма								62 % [44]

В матрице наблюдения и регистрации паттернов здорового образа жизни я заметила, что не веду постоянный здоровый образ жизни, потому что в выходные дни я много пренебрегаю собой, как за завтраком, так и перед сном, поэтому я также заметила, что не беспокоюсь о том, сколько составляет моя талия; Ну, я беспокоюсь, но когда я говорю, что сяду на диету, потому что все люди говорят мне, что я набираю вес, и когда я хочу начать заботиться о себе и изменить свой рацион, я становлюсь более голодной, что вызывает определенную тревогу, поэтому я хочу изменить это поведение, потому что оно сильно влияет на меня.
Я не пью алкоголь, ну, только один или два бокала, но только на некоторых вечеринках, но не очень часто, и я совсем не курю табак.

Поэтому я постараюсь вставать раньше, чтобы завтракать каждый день, начну более тщательно следить за тем, что ем, и не буду пренебрегать собой по выходным, даже если тренировки проходят только с понедельника по четверг, я постараюсь хотя бы ходить пешком в остальные дни недели, чтобы заботиться о своем здоровье и поддерживать тело в форме.

Тем более что у меня диабет с обеих сторон, и у отца, и у матери; а еще в семьях принято страдать ожирением, и теперь, когда я начинаю размышлять, я думаю, что не хотела бы страдать от этой модели ожирения, поэтому лучше сейчас лишить себя употребления продуктов, которые могут навредить моему здоровью, чтобы завтра врач не запретил мне ряд продуктов, так будет лучше со временем.

Анализ случая № 2

Карлос, как и многие молодые студенты университета его возраста, стремился к "нормальной" жизни; его существование проходило между учебными обязанностями и общением в обществе, его семья принадлежала к среднему классу, и оба родителя работали. Карлос был старшим из четырех братьев и сестер, из которых двое были мужского пола, а двое - женского, они находились в среднем звене, поэтому отношения между братьями и сестрами, хотя и были гармоничными, но особой привязанности между ними не было, возможно, на это повлияла хронологическая дистанция. Родители Карлоса работали в совершенно разных сферах, у него был свой бизнес, который требовал много времени и сил, и значительная часть его деятельности была связана с проверкой двигателей и деталей, наполненных маслом и смазкой, что означало, что его личная ухоженность соответствовала его деятельности. Она же, напротив, работала в офисе, поэтому ее работа требовала от нее более тщательного ухода за собой. Разница в профессиях каким-то образом повлияла на отношения пары, потому что, хотя их отношения и не были очень близкими, они не были и конфликтными. Потребность в общении она как-то решала с помощью своего сына Карлоса, с которым у нее было много общих иллюзий, и оба дополняли ожидания друг друга, а значит, любой ситуации, какой бы незначительной она ни была, было достаточно для начала диалога.

Сестры Карлоса поддерживали маму, занимаясь домашними делами, и даже взяли на себя ответственность за то, чтобы одежда Карлоса была готова для старшего брата. Информации об отношениях с сестрами немного, поскольку они ничего об этом не рассказывали, но можно сделать вывод, что взаимоотношения развивались гармонично. Однако, что касается отношений с отцом, Карлос отметил, что они сильно отличаются от отношений с матерью: с отцом он практически не общался, поскольку у них не было общих интересов.

Ежедневный распорядок дня Карлоса начинался примерно в половине шестого утра и длился с понедельника по пятницу. По выходным он проводил время, общаясь с друзьями и наслаждаясь ночной жизнью в субботу вечером. По утрам в обычные дни недели он вместе с матерью отправлялся в университет и оставался там примерно до часу, а затем до двух часов дня. Там он обедал, потому что после обеда, в четыре часа, он начинал другую деятельность. Но теперь это занятие было связано с изобразительным искусством, и в этот период времени Карлос мог заниматься хобби, которое ему особенно нравилось, поскольку это занятие предполагало использование его художественных способностей, так что можно сказать, что Карлос был очень чувствительным человеком и, прежде всего, увлеченным.

Именно эта способность знать и уметь быть страстным постепенно привела его к тому, что в итоге превратилось из нарушения поведения в поведенческое расстройство и, наконец, в глубокую депрессию. Карлос посещал художественную школу по вечерам, в частности, по двум причинам. Первая - из-за его желания учиться и развивать в себе изобразительное искусство; вторая - потому что там же училась девушка, которая со временем стала его подругой. Она, по словам Карлоса, была очень привлекательной женщиной, гордилась собой, обладала большим присутствием и любила демонстрировать окружающим свои физические данные, надевая вызывающие наряды, которые открывали ее эстетические прелести.

В начале отношений именно это привлекло их внимание, и так они начали встречаться вместе. Отношения становились все крепче и крепче. Вначале в основе этого союза лежала только эстетика, со временем они стали больше ценить друг друга, и у них появилось больше общих черт, в том числе вкус к общению, искусству и сексуальности, которую они постепенно исследовали, пока она не стала важной частью их повседневной жизни. Хотя сексуальность - очень важная часть человеческой природы, для ее полноценного проявления требуется определенная физическая и психическая зрелость, и во многих случаях сексуальная практика начинается, когда достигнута только физическая зрелость, не принимая во внимание важность психической зрелости. В этом смысле сексуальная практика подразумевает, помимо прочего, возможность испытать очень интенсивные ощущения, которые в некотором роде становятся уникальным опытом, подобным пиковому переживанию, как предполагал Абрахам Маслоу (1964), который утверждал, что пиковое переживание состоит из: "состояние единства с мистическими характеристиками; переживание, в котором время исчезает, а всепоглощающее чувство заставляет думать, что все потребности удовлетворены".

Лично я считаю, что этот опыт имеет мистические и пароксизмальные нотки, поскольку для его соединения требуется сумма намерений, которые телесно сосредоточены в гениталиях, но которые, в свою очередь, охватывают неотступную потребность быть и чувствовать с другим независимо от времени. Эта приятная и оживляющая деятельность, как правило, вызывает определенную зависимость от ощущений, которые она вызывает, и во многих случаях после сексуальной практики возникает состояние оптимизма, открытости и жизненной силы. Именно поэтому можно понять, что у молодых людей, чья основная деятельность должна быть учебной, общественной, семейной и т. д. То есть обычные занятия, которые они могут контролировать и доминировать, но не сексуальная деятельность, практика которой провоцирует более глубокие и интенсивные реакции, а значит, требует больших умственных усилий для контроля ощущений.

По сути, это одна из причин, по которой "Карлос" начал деградировать психически, поскольку сексуальная активность постепенно стала его основным занятием, и, как следствие, он начал отодвигать на второй план другие дела, которые требовали такого же внимания. Такое перенасыщение внимания одной сферой человеческого развития приводит к своеобразному отклонению, то есть задачи или задания, которые ранее уже были распределены по времени и присутствию, остаются без внимания, и поэтому, не уделяя им должного внимания, происходит отклонение в направлении внимания. Это профессиональное отклонение постепенно изменяет образ жизни, поскольку, как мы уже объясняли выше, человек - существо рутинное, структурированное и упорядоченное с точки зрения времени и присутствия, и факт направления внимания только на определенные сферы развития (сексуальное) и оставление в стороне других (академического, социального, семейного и т. д.) вызывает внутренний конфликт, поскольку возникает ситуация приближения-избегания. Если первое проявляется в удовольствии, вызванном сексуальной активностью, которая для своего осуществления требует времени и присутствия, то одновременно возникает избегание (нереализация и отсутствие), этот конфликт, кстати, не переживается как таковой, но субъект концентрирует свое внимание на сиюминутном удовольствии и перестает думать и обращать внимание на другие вещи, не отражая это в своем сиюминутном душевном состоянии.

Проблема возникает после того, как задача выполнена и теперь реальность улажена, и тогда обнаруживается, что те задачи, на которые не было обращено должного внимания, продолжили свой ход, что приводит к добавлению задач, требующих физического и умственного перенапряжения, учитывая, что то, на что не было обращено внимание в тот момент, интегрируется с тем, на что необходимо обратить внимание, чтобы дополнить эффективное выполнение. Именно здесь, в этот момент, возникает ощущение напряжения и давления, что отражается в повышении активности парасимпатической системы, которая проявляется в симптомах эмоциональной нестабильности, чувстве вины, разочаровании, раздражительности, безнадежности, потере аппетита, апатии, трудностях с концентрацией внимания и потере уверенности в себе; другими словами, в симптомах глубокой депрессии, которая как раз и была тем расстройством, которое наблюдалось у "Карлоса".

Это состояние развивалось таким образом, потому что уровень стресса достиг и оставался в фазе истощения. Согласно общему адаптационному синдрому (Selye H. 1963), в этой фазе активизируются не только физические, но и когнитивные функции, и при этой когнитивной активации возникают искажения реальности, т. е. у субъекта появляются изменения, среди которых поляризованные и повторяющиеся мысли. Это означает, что они концентрируются только на одной части ситуации, приятной или неприятной. В данном случае его внимание было направлено на неприятность ситуации, и эта мысль возникала снова и снова в течение дня. Мысль или когнитивное искажение, представленное "Карлосом", заключается в том, что его очень раздражало то, как одета его девушка, и он представлял, что другие мужчины смотрят на нее с желанием обладать ею, и это вызывало в нем чувство ревности, которое невозможно было контролировать. Теоретически при повторяющихся мыслях происходит то, что эта мысль сопровождается ощущениями, поэтому каждый раз, когда он думает о чем-то неприятном, например о том, что на его девушку будут смотреть другие мужчины и что они, вероятно, тоже захотят ее, это вызывает чувство гнева, разочарования и бессилия, от которого невозможно избавиться, поскольку оно возникает только в сознании "Карлоса". Однако каждый раз, когда он думает об этом, он будет испытывать те же ощущения, и таким образом ухудшение состояния будет отражаться на психических и физических аспектах, причем настолько, что пациенту придется принимать лекарства, чтобы снизить уровень тревоги, который ограничивает его функционирование в других областях, также требующих внимания.

"Карлос пришел в клинику вместе с матерью, оба были встревожены, но полны решимости решить проблему, которая его беспокоила, наилучшим образом. Сначала я поговорил с ними обоими, а через несколько минут остался с ним наедине, и он, в свою очередь, более подробно рассказал мне о том, что считает главной проблемой; после этого я попросил его разрешить мне поговорить с его матерью. В итоге они оба пришли к единой точке зрения. На этом я завершаю первую встречу, и мы назначаем еще одну, которая проходит через три дня.

На новом сеансе мы сосредоточились на обсуждении его образа жизни, на том, что ему нравится в себе, в своей семье, в своей деятельности и в отношениях со свиданиями. Он автоматически сосредоточился на отношениях со свиданиями, где, по его словам, он чувствует себя очень комфортно, но в отношениях с его девушкой есть детали, которые ему трудно принять. Я прошу его быть более конкретным, и ему трудно принять дихотомию, которую он испытывает к своей девушке, поскольку, с одной стороны, ему очень нравится быть с ней; с другой стороны, его очень беспокоит, что, когда он находится в ее компании, она одевается так, как одевается, и он утверждает, что даже когда он говорит ей, что ему не нравится, как она одевается, она просто слушает, не отвечая, но и не меняя свой стиль одежды.

Этот тип антагонизма (мне нравится быть с тобой, но мне не нравится, как ты одеваешься) обычно вызывает путаницу в восприятии и, следовательно, в ощущениях до такой степени, что возникает чувство вины, раздражение, трудности с концентрацией внимания и т. д. Другими словами, происходит изменение образа жизни, связанное с тем, что внимание концентрируется на одной из сторон развития человека. Поэтому первое терапевтическое задание было направлено на наблюдение за привычками образа жизни. В ходе этого анализа выяснилось, что ее жизненный распорядок был в значительной степени ориентирован на две конкретные области: академическую и аффективную. В первой из них ее распорядок дня начинался в семь утра и заканчивался около семи вечера, время, отведенное на прием пищи, проходило в самом университете, а пища, которую она употребляла, была не очень питательной, скорее, она покрывала потребность в еде, но не в питании. Перспективы его достижений в этой области были очень высоки, поскольку он сам установил очень жесткие параметры успеваемости и эффективности; то есть его стандарт самооценки был ориентирован на количество проходных баллов, которое не могло быть меньше девяти; причиной этого, по его словам, было его желание получить стипендию за академические успехи. Это же требование, выдвинутое им самим, в какой-то степени подкреплялось и его матерью, поскольку, как уже говорилось, они обе были согласны с тем, что важно добиваться высоких академических результатов, чтобы после окончания учебы получить более высокооплачиваемую работу. Другим аспектом, повлиявшим на ту же динамику, были отношения с подругой, которые, хотя и вызывали смешанные чувства, но в то же время доставляли ему огромное удовольствие от общения с ней.

Как видно из этой небольшой зарисовки динамики "Карлоса", подтверждается сосуществование трех абсолютистских и жестких мыслей, связанных с рациональным и эмоциональным (Ellis A. 1954). Этот автор утверждает, что существуют три жестких предпосылки или подхода, которые предполагаются к исполнению независимо от обстоятельств, и это заставляет человека устанавливать собственные ожидания; в данном случае ожидание достижений возлагалось на академические успехи и не учитывало, что сейчас существуют две ситуации, требующие равного присутствия и внимания. "Карлос" уделял присутствие своему академическому внешнему виду, но не внимание, поскольку его занятием были мысли о своей девушке; в частности, он пытался угадать, во что она будет одета вечером и не увидит ли кто-нибудь ее с нездоровыми желаниями. Эти мысли отвлекали его от учебной работы, и в конце занятий его не покидало ощущение бесполезности, поскольку он не мог четко понять концепции, обсуждаемые на уроке.

Таким образом, в этой панораме жизни были объединены три предпосылки, постулированные Эллисом (1954), которые представлены здесь:

- ❖ Я должен сделать все правильно
- ❖ Мне нужно, чтобы со мной хорошо обращались
- ❖ Я должен иметь благоприятные условия

Эти жесткие предпосылки или подходы вызывают чувство пустоты или бесполезности, когда они не могут быть реализованы, поскольку человек предполагает, что не может потерпеть неудачу в чем-то, и если по какой-то причине его собственные ожидания не оправдываются, он обесценивает и презирает себя, поскольку не оценивает обстоятельства, связанные с ожиданиями, а концентрируется только на результатах. В данном случае результат заключался в том, что он плохо учился, а его девушка не удовлетворяла его требованиям, поэтому он предположил, что с ним плохо обращаются, и эти две предпосылки объединились в третью, поскольку условия личной деятельности были не такими, как он ожидал, поэтому его условия не были благоприятными.

Как только мы обнаружили, что смогли решить значительную часть проблем, беспокоивших его с когнитивной точки зрения, мы решили также сосредоточить наше наблюдение на поведенческих аспектах, но теперь уже с базовым уровнем, чтобы подтвердить и донести до него информацию о его образе жизни и установить возможные корректировки вероятных поведенческих отклонений. В первую неделю после второй сессии мы не замечали его привычек в образе жизни, и в этот момент мы заметили, что можем немного изменить этот ритм жизни, добавив в него немного спокойствия, для чего я попросил его ходить домой, чтобы поесть и отдохнуть, вместо того чтобы оставаться в университете. Мы обсудили эту возможность с его матерью, так как именно она должна была поддержать его, отвезя в университет после обеда; причина поддержки с матерью заключалась в том, что таким образом мы могли бы получить время отдыха для "Карлоса" после обеда, а причина этого отдыха заключалась в том, что таким образом уменьшаются стимулы, вызывающие стрессовые реакции, и из фазы истощения он переходит в фазу бдительности. Это кажущееся небольшое изменение привычного распорядка дня значительно снижает уровень кортизола и повышает уровень серотонина, что проявляется в состоянии открытости и оптимизма, которые отражаются в вечерних занятиях. С другой стороны, было начато обсуждение жестких подходов, и по мере возможности мы их обсуждали. На этом этапе обсуждения можно было заметить, что значительная часть проблемы возникла из-за зависимости от подруги, поэтому я попросил ее отслеживать негативные мысли, связанные с ней. В конце этого наблюдения мы увидели, что таких мыслей было от тридцати до сорока в день и что именно по вечерам и в выходные дни они усиливались больше всего.

Для этого его проинструктировали по модели остановки мыслей и предложили ему включить в работу мысли, которые способствовали бы улучшению настроения; Вначале ему было трудно контролировать свои мысли, однако, продолжая наблюдение и записи, мы смогли составить график потока негативных мыслей, и из тридцати семи негативных мыслей в среднем, после девяти недель когнитивно-поведенческой терапии он смог систематически изменять свои жизненные привычки и контролировать свои мысли, теперь, с этим новым взглядом на свою жизнь, он уже не был так строг к себе и позволял себе небольшие неудачи в повседневной жизни. И что-то очень важное, что он усвоил, это то, что он понял, что только он может контролировать свои собственные обстоятельства, а те, которые связаны с другими, он не сможет решить, и поэтому он должен сосредоточиться на своей собственной работе. В конце концов Карлос пришел к пониманию того, что, давая больше свободы, ты обретаешь больше связи с любимым человеком.[49]

---

[49]
Мишель С. Чавес Р. (*Защищенное пространство диалога* 2009).

Глава 3

Измерения человеческого существа (гуманистический подход)

Я попрошу вас сосредоточиться именно на этом моменте и предположить, что в вашем распоряжении достаточно мощная камера, которая позволяет вам остановиться и запечатлеть эмоции этого момента: что вы чувствуете, что наблюдаете, какие моменты вам удалось запечатлеть и какие ощущения вы пережили заново? Представьте себе атмосферу этой сцены. Вы в центре внимания, все собрались только по одной причине - они, как и вы, хотят отпраздновать достижение, они способны оценить усилия и упорство, которые позволили вам достичь того, что вы сейчас с радостью демонстрируете.

Примеры могут быть самыми разными - от самых сложных до самых простых; на самом деле ситуация не имеет большого значения, важно лишь сосредоточиться на главной сцене, той, что венчает поиск, той, что закрепляется в памяти, обладая достаточным потенциалом для того, чтобы опыт превратился в переживание. Следует уточнить, что опыт - это то, что приобретается ежедневно, что имеет тенденцию превращаться в рутину; опыт же - это то, что проживается, что ощущается с большей интенсивностью, что сопровождается приятными или неприятными ощущениями. Дело в том, что переживания записываются с большей точностью, поскольку сохраняется не только прожитый образ, но и эмоции, которые возникали в момент переживания; поэтому, когда они вспоминаются, они возникают именно в том виде, в котором были сохранены, и даже возможно, что они переживаются снова в манере, идентичной первоначальному опыту.

Суть этого упражнения по созерцанию опыта заключается в наблюдении за собой, выполняющим различные действия, трансцендентные или обыденные. В этом упражнении важно показать, что кульминация или переживаемая радость обычно длится несколько секунд; фактически мы можем наблюдать это в оргазмическом процессе, поскольку кульминация обычно длится несколько секунд, некоторые счастливчики смогут продлить переживание, но тем не менее в общих чертах оргазмическое ощущение кратковременно, но очень сильно, его переживание настолько интенсивно, что неважно, сколько времени потрачено на его поиск, важна лишь способность, которой человек обладает, чтобы достичь уровня пароксизма.[50]

Человек способен стремиться к чему-то, даже зная, что награда будет недолгой; однако полученное возвышение настолько велико, что стоит направить усилия на достижение приятных переживаний, которые, благодаря эмоциям, которые они вызывают в тот момент, заставляют продолжать настойчиво и непроизвольно искать их во всех сферах развития, в которых они бродят.

Такие переживания часто классифицируются как пиковые (Maslow A. 1964), учитывая, что в некотором роде опыт субъекта находится в определенной рамке. Теперь представим, что некоторые люди спросят вас, каково это - быть там, другим будет интересно узнать, сколько времени у вас ушло на то, чтобы добраться туда, а третьи будут ссылаться на усилия, которые потребовались вам для закрепления мечты, - что бы вы им ответили?

Вы можете говорить об удовольствии, которое испытываете от достижения цели, можете добавить, сколько усилий потребовалось, чтобы сделать то, что вы сделали; но я бы задал вопрос: знаете ли вы, с какими препятствиями вам пришлось столкнуться, чтобы добраться сюда? В конце концов, что действительно важно, так это жить и ощущать опыт достижения цели. На самом деле мы видим, что многие люди буквально выживают в своей жизни, потому что постоянно ставят перед собой цели или задачи, которые труднодостижимы и не соответствуют их потребностям и ресурсам; это заставляет их ориентировать свои действия на поставленные цели, поэтому они устанавливают очень высокие требования или очень конкретные ожидания от их достижения. В конечном счете, поставленные ими цели служат для оценки себя с точки зрения личных, академических, семейных или материальных достижений.

---

[50] Крайняя экзальтация привязанностей и страстей (http://buscon.rae.es/drael/)

И в конце этого процесса, когда ожидаемый результат достигнут или не достигнут, внимание, скорее всего, будет сконцентрировано только на этом моменте, независимо от того, является ли он моментом достижения или разочарования, как следствие, будут возникать приятные и неприятные ощущения, то есть переживание этого момента будет переживаться очень интенсивно, что само по себе ограничит осознание приложенных усилий, и внимание будет сосредоточено на мгновении. Очень трудно осознать усилия, затраченные на достижение цели; фактически, так много значения придается результату, что реализация игнорируется. Если в систематической деятельности, целью которой является получение конкретного результата, а это может быть женитьба, получение диплома, выполнение рутинной работы, выработка привычки и т. д., подчеркивается важность процесса. Возможно, вы не осознаете, что именно на этой стадии выполнения прилагаются реальные усилия, именно в этой части процесса достигается реальный и конкретный рост; к сожалению, на первых порах он не осязаем, поэтому его нельзя почувствовать или увидеть очень четко. Однако мы можем более точно определить действия реализации, если переведем их в форму установок, эти качества являются волевыми, которые относятся к актам и явлениям воли.

Воля - это способность принимать решения и упорядочивать собственное поведение, что подразумевает, что человек выбирает что-то без каких-либо внешних предписаний или импульсов, которые заставляют его это делать, и проявляется в намерении или решении что-то сделать. Поэтому, когда человек решает сделать что-то самостоятельно, исходя из собственных убеждений, он проявляет **инициативу**; это качество позволяет ему быть проактивным, а не реактивным (Covey S. 1989). Это означает, что человек, который решает инициировать что-то из убеждений, не требует, чтобы другие приказывали ему, что делать, что дает ему определенную свободу действий. Важно понимать, что это может быть сделано, например, когда: дома уже известно, что человек должен отвечать за чистоту своей комнаты, поэтому он берет на себя ответственность за уборку без чьих-либо приказов.

Если мы рассмотрим на этом же примере ответственность, связанную с получением университетского диплома, то увидим, что для эффективного выполнения этой работы необходимо учесть множество незначительных на первый взгляд деталей, но в итоге все они связываются воедино и в значительной степени определяют успех или неудачу. В том же ключе рассмотрим, что сегмент академических запросов ориентирован на необходимость учиться с определенной степенью привязанности. Поскольку существует стремление к более глубокому изучению определенных тем, именно поэтому учеба на этом уровне требует большой инициативы, поскольку предполагается, что чем больше знаний, тем лучше человек разбирается в той или иной области знаний, а это не обязательно приводит к лучшей работе, но может отразиться в лучших перспективах трудоустройства. Это означает, что учеба очень важна, но для того, чтобы учиться и получать знания, необходимо не только читать, но и быть в адекватном физическом состоянии, а для этого нужно знать, когда отдыхать, а когда развлекаться; то есть с точки зрения системного видения можно быть отличным студентом, живя с другими людьми. Однако эта взаимосвязь должна быть сбалансированной, поскольку можно блуждать во всех областях развития и сохранять уровень эффективности. Главное - знать, сколько времени и места уделять каждой конкретной области. Вы можете быть на вечеринке, даже если вам нужно учиться, но для этого необходимо установить для себя ограничения, и эта способность решать, когда быть, а когда не быть, называется **решительностью**.

Когда человек решается развлекаться, несмотря на необходимость учиться, но при этом устанавливает для себя определенные рамки и придерживается их, его можно назвать **мужественным**; то есть он трудолюбив, смел, эффективен, физически и морально активен. Мужественный человек считает себя настолько способным, что может посвятить несколько минут не только учебе, но и другим занятиям, и при этом оставаться хорошим учеником; ему нужно лишь включить в свою храбрость достаточную **дисциплину,** чтобы придерживаться собственных установок и знать, когда нужно вернуться и отдохнуть, а затем начать соответствующую учебу без чьих-либо указаний, что и в какое время он должен делать. Эта возможность дает ему **автономию**. Это отражается в его собственном локусе контроля (Rotter B.J. 1966), поскольку ему удается контролировать свои социальные и академические потребности, так как в обоих случаях ему удается быть эффективным и функциональным. Эта эффективность выражается в том, что молодой человек постепенно расширяет панораму своей функциональности и теперь не только использует этот локус контроля в академической сфере, но и переносит его на другие сценарии, и таким образом мы видим, что он интегрирует **упорство** в свою жизнь. Он становится твердым и упорным в достижении своей цели, потому что понимает, что у него есть ресурсы, чтобы справиться с различными требованиями университетской жизни. С течением времени, сохраняя эту установку на привязанность, эффективность и функциональность в достижении цели, он достигает квалификации **настойчивого**, что позволяет ему адекватно действовать в различных пространствах, требующих присутствия и действия, и во всех из них ему удается контролировать ситуации до приемлемого уровня, что требует большей способности к психической и физической **устойчивости**, поскольку в итоге он понимает, что все сферы важны и что для того, чтобы научиться быть в каждой из них, необходимо закрепить каждое из волевых качеств, упомянутых выше.

Наконец, это сочетание качеств, которые достигаются с течением времени и требуют хорошей дозы воли и уверенности, дает свою награду тому, кто их реализует, и эта награда приходит в виде **уверенности в себе**. Человек, который позволяет себе блуждать по разным областям и посвящает себя всем этим областям, в конце концов развивает в себе волевые качества, достаточно прочные, чтобы обеспечить себе большую безопасность, знать и признавать, что он может справиться с трудностями университетской карьеры, быть чьим-то другом, частью семьи, принадлежать к социальной группе, наслаждаться вечеринкой и получать удовольствие от усилий, которые прилагаются, чтобы быть самим собой, и в то же время развивать свой потенциал.

Это развитие волевых качеств не только полезно на данном этапе, напротив, с его закреплением можно будет перенести эти установки на другие области, а затем, с этой возможностью расти и развиваться на основе конкретных целей, оно позволяет теперь также наслаждаться реализацией цели, поскольку то же самое выполнение способствует росту, и когда человек ощутимо понимает, что он постоянно и систематически растет, он в итоге понимает, что каждое усилие имеет цель; тем не менее, оно также служит для формирования чего-то, и это "что-то" - волевые качества. Таким образом, с этим видением себя приходит убеждение, что каждое действие, каким бы простым оно ни казалось, направлено на великое достижение, так что теперь, с этим убеждением себя, можно в равной степени наслаждаться процессом и кульминацией, тем самым увеличивая возможность наслаждаться не только пиковым моментом, но и направленным процессом.

Эта пирамида волевых качеств показывает, что из конкретной ситуации, требующей решения, вытекает и потребность в решении, что заставляет предпринимать конкретные действия, чтобы справиться с ситуацией; вот почему из того же копинга проявляется инициатива решения, которая подразумевает решимость, например: присутствовать или не присутствовать на встрече, даже если есть предыдущее обязательство. Принятие решения и его выполнение подразумевает смелость, следование самостоятельно установленным правилам укрепляет дисциплину и в то же время дает субъекту автономию, а следствием этой дисциплины и привязанности становится настойчивость, и со временем человек становится жизнестойким. И в конце всего этого процесса укрепляется уверенность в себе, которая позволяет с одинаковой эффективностью выходить за рамки во всех областях человеческого развития.

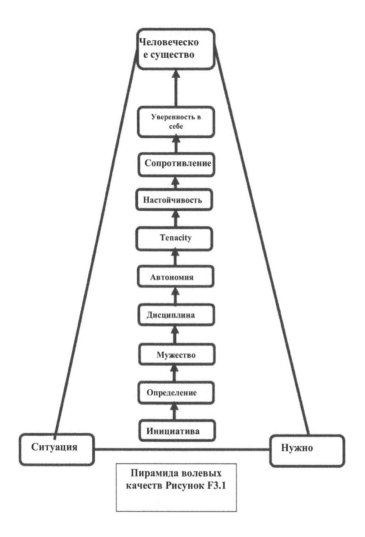

Пирамида волевых
качеств Рисунок F3.1

На рисунке F3.2 более подробно показаны масштабы и влияние целей результата и достижения на волевое развитие: в обоих случаях качества достигаются, поэтому важно осознавать важность обеих целей, это знание позволяет продлить чувство достижения и, следовательно, удовлетворения.

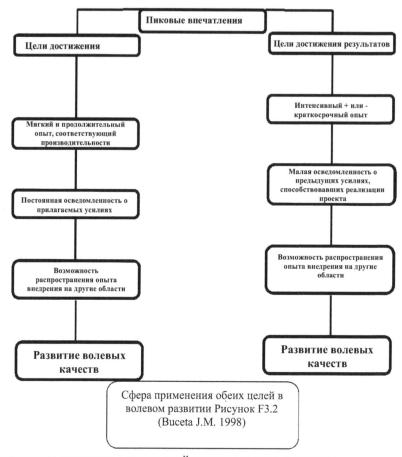

Сфера применения обеих целей в волевом развитии Рисунок F3.2 (Buceta J.M. 1998)

Эндогенная перспектива измерений человеческого существа

Теперь мы сделаем небольшую подборку предложений, представленных до сих пор в этой книге. В первой главе трансцендентальная предпосылка была сосредоточена на анализе поведенческого репертуара, основное предложение которого заключалось в наблюдении за собой с точки зрения поведения и времени, отведенного на его выполнение; цель этой задачи состояла в том, чтобы осознать, сколько времени человек посвящает одной деятельности и, соответственно, пренебрегает другой. Основной аргумент этого раздела заключался в том, что можно заниматься многими продуктивными видами деятельности и получать от них удовольствие, вопрос только в том, чтобы осознать это, и если читатель захочет, он может включить в свою жизнь новые виды деятельности или отказаться от некоторых из них. Для этого была представлена матрица наблюдения и регистрации поведения, которая может эффективно способствовать принятию решения о том, какое поведение следует увеличить, какое - убрать, в какой момент внести изменения и сколько времени можно добавить на выполнение новых видов поведения.

В этом же разделе были представлены размышления о прошлом - настоящем - будущем, в которых мы склонны жить. В этом разделе приводится пример того, как важно учиться обновлять опыт, поскольку во многих случаях мы склонны жить настоящим, потому что в прошлом мы достигли благ, или, наоборот, мы страдаем в настоящем, потому что пережили тяжелое прошлое. В обоих смыслах размышления этого раздела основаны на том, что мы должны научиться жить настоящим, как оно есть, то есть научиться видеть вещи такими, какие они есть, а не такими, какие мы есть (Anais Min[51]). Именно поэтому обновление опыта и интеграция обучения, полученного в течение жизни, способствуют тому, что фильтры восприятия становятся более кристаллическими, что позволяет с большей ясностью видеть различные оттенки, в которые окрашена жизнь, и вместе с этим признать, что цвета, как и эмоции, являются частью человеческого существования, и поэтому можно научиться жить с приятным и неприятным, но в равной степени решать, в каком направлении принимать решение и нести ответственность за собственное существование.

Еще один аспект, который был рассмотрен, связан с образом и качеством жизни; здесь же, в этом разделе, представлена матрица наблюдения и регистрации, которая позволяет внимательно наблюдать за моделями здоровой жизни, а также способствует точному измерению того, как человек ориентирован на здоровье, и дает возможность выработать конкретные направления действий, направленные на получение здоровых моделей жизни. Далее в этом разделе представлены поведенческие критерии адекватного психического здоровья, которое достигается за счет роста личных качеств и свойств, а не за счет наличия больших материальных ресурсов.

Наконец, в этой главе мы вернулись к важности включения целей в нашу жизнь и добавили преимущества, присущие самому процессу достижения целей, которые проявляются в личностных качествах, также называемых волевыми качествами. Эти качества, развитые в себе, могут проявляться в других сценариях развития человека и сопровождать его в каждом действии, которое он совершает.

Однако важно обратить внимание на то, что до сих пор все действия были направлены на работу с тем, что видят другие в форме поведения, и мало что было сделано в отношении самой природы человека, то есть эндогенного.[52] Отсюда и предложение этого раздела, который будет направлен на концентрацию действий, направленных на раскрытие внутреннего "я" человека.

В этом смысле удобно отталкиваться от антропологической/философской перспективы, предложенной Раулем Гутьерресом Саенсом (1998), где он, в частности, утверждает, что самая чистая часть человека - это его NIP (ядро личной идентичности), и чтобы быть в контакте с этим ядром, необходимо не отчуждаться от самого себя. Цель состоит в том, чтобы не жить в совпадении с другими людьми, то есть нужно заботиться о своих собственных потребностях прежде, чем о потребностях других людей, а для достижения этой цели требуется смелость, и эта смелость становится ощутимой, если быть самим собой. Это предполагает принятие собственной индивидуальности, но без доведения до индивидуализма, поскольку последний по смыслу подчеркивает непривязанность к общим нормам; однако в индивидуализме человек мыслит и действует независимо от других и даже подчеркивает особые качества кого-либо, что позволяет выделить его в отдельную личность.

в единственном числе.

Короче говоря, цель быть самим собой и придерживаться правил - способствовать развитию всего потенциала развития, иначе нарушение правил другими может привести к ограничению

---

[51] (Французский писатель, Нейи, Франция, 21 февраля 1903 - Лос-Анджелес, 14 января 1977)
[52] Происходящий или возникающий изнутри, например, клетка, образующаяся внутри клетки (http://buscon.rae.es/draeI/)

прогресса и личного сосуществования. Это крайне важно для развития человеческой личности, поскольку в социальной сфере используются социальные, аффективные и когнитивные навыки. Социальная среда - это своеобразный полигон для тренировки собственных способностей, поэтому человек должен научиться жить в обществе, отдавая предпочтение индивидуальности.

Если вернуться к ядру личной идентичности, то это самая чистая часть человеческого существа. Однако его можно загрязнить, и со временем его сущность становится настолько разреженной, что человек перестает осознавать ее присутствие. Факторы, которые разлагают "NIP", по мнению Гутьерреса Саенса, следующие: имя, фамилия, семья, родственные связи, профессия, работа, зарплата, должность и т. д. В результате имени, фамилии или семейным отношениям придается такое большое значение, что считается, будто это делает человека лучше или отличается от других, в то время как на самом деле принадлежность к кому-то важному не делает никого более трансцендентным. На самом деле этому может придаваться такое значение, что, когда по какой-то причине родственник или даже сам человек теряет статус[53], можно подумать, что это конец, хотя на самом деле это конец, но только цикла, а не собственного существования; или, возможно, в нашем обществе принято придавать большое значение профессиям, как будто они сами по себе делают человека достойным. Лично я считаю, что не школы и не профессии имеют значение с точки зрения профессионального престижа и эффективности; я думаю, что именно люди действительно достойны и делают профессию достойной, а все остальное - лишь здания и профессии. Своими повседневными действиями человек возвышает свою профессию, но в целом люди склонны придавать большое значение вопросам, которые на самом деле не так уж важны. В результате подобные взгляды, далекие от истинной ценности человека, постепенно разлагают сердцевину личности до такой степени, что в конце концов перестают учитываться особенности и потенциалы, которыми обладает каждый человек.

Если начать анализ с этой точки зрения, то можно легче понять существование и ценность самого себя; и в этом смысле можно увидеть, что независимо от возраста в жизни наступают моменты, позволяющие заметить, что человек сумел вырасти в измерениях бытия, поскольку он может рассуждать, анализировать и решать вопросы собственного существования, он дарит и получает привязанность от других, а самое главное, он достигает полного осознания того, что в жизни есть две константы, а именно: способность человека страдать и наслаждаться, и что он в равной степени ответственен за эти ощущения в жизни.

С точки зрения образования можно утверждать, что главная предпосылка человеческих существ заключается в том, что они учатся даже тогда, когда не хотят этого; то есть процесс обучения происходит параллельно с их собственным ростом, поскольку по мере того, как в жизни прибавляются годы, прибавляются и знания. Мы не осознаем этого в полной мере, и поэтому считается, что единственным формальным знанием является то, которое получают в школе; однако значительная часть достигнутых знаний получена вне школы, и этим мы не хотим умалить значение школьного образования, мы лишь хотим создать конкретную панораму и постулировать, что учиться можно во всех областях развития, и поэтому невозможно не учиться, и даже невозможно не учиться. Нечто подобное происходит и с коммуникацией, поскольку в этом искусстве общения невозможно не общаться; следовательно, обучение и общение - это предпосылки, которые не нужно отрицать, а нужно подтвердить, и для этого мы будем считать, что когнитивное, аффективное и духовное измерения уже развиты, просто мы не знаем, насколько они развиты. Поэтому мы сосредоточим наши читательские усилия на том, чтобы узнать больше об их составляющих, теоретических основах и, прежде всего, о том, какое значение они имеют для собственного развития.

---

[53] Положение, которое человек занимает в обществе или в социальной группе (http://buscon.rae.es/draeI/)

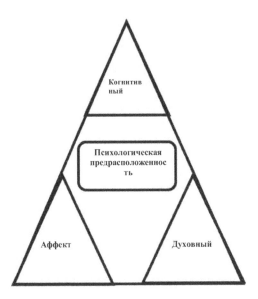

Рисунок F3.3
Размеры человеческого существа

На рисунке F3.3 показано влияние измерений в человеке на психологическую предрасположенность; однако, поскольку этот раздел может внести очень важный вклад в самоконцепцию человека, стоит уточнить значение слов "измерение, познание, аффективная, духовная и психологическая предрасположенность", поскольку чем точнее будут получены знания, тем лучше будет понимание их значимости в повседневной жизни.

Когнитивное измерение

Dimension происходит от: (от лат. *dimensío, -onis*), что означает аспект или грань чего-либо. И это подразумевает рассмотрение или учет аспектов, относящихся к человеку, в частности того, как он рассуждает, дает и получает привязанности, а также в представлении о себе с точки зрения своей природы.

Познание относится к действию и эффекту познания и, таким образом, включает в себя использование интеллектуальных способностей для познания природы и отношений вещей. Это позволяет нам понять, что когнитивное измерение состоит в рассмотрении чего-то, принятии во внимание его природы и включении в это отношения этого чего-то к другим вещам. Поначалу это объяснение кажется не очень убедительным, однако, если перенести это определение на более конкретные темы, можно привести пример из университетской среды; давайте поместим себя именно в школьную среду, представим, что мы находимся в университетской аудитории, и сцена начинается с того, что преподаватель спрашивает студента о чем-то, связанном с предыдущим занятием, который, в свою очередь, не очень понимает, что ответить. На самом деле, возможно, у него есть приблизительный ответ, но он не уверен, что он будет правильным; учитывая сомнения, которые он испытывает, он решает уклониться от ответа, утверждая, что не знает или не понимает вопроса. Такой ответ, скорее всего, не понравится учителю, поскольку он может предположить, что на заданный им вопрос могут ответить все, поскольку вопрос связан с тематическим содержанием, которое было рассмотрено, и поэтому делает вывод, что на него должны ответить все присутствующие ученики без особых проблем. Однако в реальности учитель не получает ожидаемого ответа, и тогда ученик получает тревожный сигнал, который, в свою очередь, вызывает эмоциональное возмущение и, скорее всего, в будущем спровоцирует определенную антипатию к данному учителю. Эта неприязнь, возможно, проявляющаяся в вызывающей или закрытой позиции студента в результате этого, казалось бы, незначительного для преподавателя, но столь значимого для студента инцидента, может в будущем изменить возможные хорошие академические отношения, а главное, ограничить возможность приумножения каких-то знаний. Эта ситуация возникла потому, что студент вначале сомневался и не был уверен, что сказать или что ответить, вместо того чтобы изложить или прояснить свои сомнения, он предпочел показать свое очевидное невежество и тем самым умилостивить возможную дисквалификацию со стороны преподавателя.

Подобные ситуации встречаются не только в школьной среде, напротив, они происходят в бесчисленных сценариях и в итоге вызывают у тех, кто их переживает, неприятное чувство разочарования и раздражения, которое, к сожалению, проявляется в установках на самодисквалификацию и самооценку.

Дисквалификация проявляется в придании негативных качеств людям или вещам на основе неопределенности. Очень часто, столкнувшись с определенной ситуацией, требующей решения, человек имеет определенное представление о том, как с ней справиться; однако, не имея уверенности в действиях и даже более того, в то время, когда действия необходимы, он предполагает, что действия должны быть точными, эффективными и уместными, то есть устанавливает для себя стандарт оценки и, если этот стандарт не соблюдается, дисквалифицирует других или себя.

А когда результат не соответствует ожиданиям, возникает неприятное ощущение, что человек ошибочно считает себя неуклюжим и ограниченным, когда на самом деле произошло порицание самого себя, и вместо того, чтобы высказать свое мнение или уточнить, что он понял из вопроса, он ошибочно решает обвинить или свалить вину на самого себя; когда на самом деле все началось с того, что человек не доверял своей интуиции, а, напротив, больше доверял своему опыту. То есть факт того, что он что-то чувствовал, знал или был свидетелем, способствует тому, что реакция молодого ученика могла быть вызвана тем, что в очень похожих ситуациях, когда его просили дать адекватный ответ на определенный вопрос, и, возможно, его ответ был не очень убедительным или, более того, могло случиться так, что в прошлом вопрос был задан не ему конкретно, а кому-то из его класса, и он сам был свидетелем словесного или даже физического насилия со стороны учителя в какой-то момент школьной жизни; Эта неприятная для него ситуация заставила его квалифицировать этот опыт как нежелательный из-за эмоционального дискомфорта, который он испытывал, и которого можно было избежать из-за неприятных ощущений.

Эти два аргумента (дискомфорт и избегание), скорее всего, будут храниться в вашей долговременной памяти именно в том виде, в каком вы их испытали. Не только пережитый образ, но и неприятное ощущение будут сохранены и в дальнейшем будут отнесены к категории неприятных переживаний. Это означает, что настоящее переживание связано с прошлым чувством; следовательно, эмоциональная реакция больше связана с прошлым опытом, который связан по аналогии с обстоятельствами, чем с настоящим опытом студента.

Подобные переживания, столь, к сожалению, распространенные, встречаются в бесконечном количестве контекстов, в которых развиваются люди, причем до такой степени, что они становятся частью когнитивных схем, проявляясь в повседневных рассуждениях. Акт рассуждения включает в себя внимание к заданному стимулу, организацию идеи по отношению к стимулу и вывод. Недостатком таких мыслей является то, что они превращаются в убеждения, которые, в свою очередь, становятся ригидными, рациональными и иррациональными подходами.

С рациональной точки зрения причина убеждения обычно логична; например: кто-то ждет человека в определенное время и в определенном месте, а тот не приходит, скорее всего, произошло что-то, что могло помешать ему прийти, причин задержки много и они разнообразны; следовательно, правомерно предположить, что существует конкретное препятствие, которое вызывает отсутствие человека. Однако вместо того, чтобы ждать и выяснять для себя причину задержки, человек начинает строить воображаемые догадки о том, что могло бы в данный момент помешать появлению этого человека, что почти всегда придает воображению драматизм и, как следствие, вызывает негативные ощущения, поскольку ожидающий предполагает, что могло произойти что-то плохое, а это, в свою очередь, усиливает его состояние тревоги, поскольку он представляет, что могли произойти чрезвычайные или катастрофические события, помешавшие появлению того, кого он ожидает. Поэтому последняя мысль может быть классифицирована как иррациональная, поскольку драматический оттенок ситуации соответствует не конкретной, а предполагаемой реальности, которая не была проверена.

Однако возможно возникновение некоторых вопросов, связанных с происхождением этого типа убеждений: как строятся убеждения, что заставляет убеждение превращаться из рационального в иррациональное, можно ли избежать иррациональности и возможно ли избежать иррациональности? Возможный ответ на эти вопросы можно установить на основе когнитивной теоретической модели Махони (1974), которая пытается описать "Обработку информации".

В этой теоретической модели Махони утверждает, что поведение человека опосредовано обработкой информации в его когнитивной системе. Он также выделяет два элемента, которые способствуют обработке информации; первый относится к процессам (ментальным операциям, участвующим в когнитивном функционировании), а второй - к структурам (постоянным характеристикам когнитивной системы). Тот же автор предлагает выделить четыре общие категории когнитивных процессов, к которым относятся:

Внимание (ассимилятивная избирательность стимулов)
Кодирование (символическое представление информации)
Хранение (хранение и сохранение информации)
Извлечение (использование сохраненной информации)

В нем также выделяются три когнитивные структуры:
Сенсорный рецептор (получает внутреннюю и внешнюю информацию)
Кратковременная память (обеспечивает кратковременное запоминание выбранной информации)
Долговременная память (обеспечивает постоянное сохранение информации)

Наконец, он утверждает, что человек - это не реактор на окружающую среду (бихевиоризм) или на биологические силы организма (психодинамическая модель), а активный конструктор своего опыта, имеющий интенциональный или целенаправленный характер.

Таким образом, исходя из этой референтной модели, можно заметить, что те, кто имел конкретный опыт, связанный с актом "ожидания", чей опыт мог быть неприятным, скорее всего, намеренно сконструируют неблагоприятный образ, а вместе с этим образом добавится чувство тревоги; это продукт самой иллюзии, которая будет связана с предыдущей практикой, но которая в действительности не совпадает с текущей ситуацией, а скорее подчиняется предыдущим условиям. Таким образом, обработка информации (текущий опыт) в большей степени реагирует на кодирование (предыдущий опыт), в результате чего сенсорное прошлое преобладает над перцептивным настоящим.

В конкретных терминах это означает, что могут переживаться одни и те же впечатления, но не одни и те же ощущения, а мозг хранит конкретные обстоятельства безотносительно времени; То есть в момент воспринятого опыта опыт рассматривается, независимо от временности, в которой этот опыт имел место, можно сказать, что пережитый опыт как таковой интегрируется в память субъекта вневременным способом[54] , когда человек выходит за пределы опыта, и в той же степени этот опыт вводится в память категоризированным способом, и именно в этой части процесса эмоциональные оттенки придаются пережитому опыту (хороший или плохой, приятный или неприятный опыт); Другими словами, сохраняется ощущение, но не точный момент ощущения, поэтому при столкновении с настоящим событием, вызывающим определенную эмоциональную перестройку, в качестве продукта эмоциональной перестройки могут быть вызваны прошлые ощущения, не соответствующие настоящему опыту.

Компоненты личности. Философский, когнитивный, поведенческий и физиологический.

Философский компонент - это то, что структурируется благодаря совместной жизни в семье, которая рассматривается как основной генератор конструктов, обеспечивающих просоциальное поведение. Родовая семья, хотя и дает эмоциональное убежище и, прежде всего, чувство принадлежности, также служит для моделирования убеждений по отношению к окружающему миру, что-то вроде диктаторских установок[55] , которые обозначают моральный путь члена семьи; примером может служить тот факт, что родители, будь то мать или отец, по самому факту исполнения своей роли должны знать, формировать, любить, заботиться, воспитывать, помогать, дисциплинировать и понимать всех детей одинаково и в меру их потребностей. И вот оказывается, что по каким-то внутренним или внешним обстоятельствам один из глав семьи не соответствует ни одному из этих условий, потому что, как уже говорилось выше, ситуации возникают от семьи или даже могут быть связаны с проблемами с членом этой же семьи. Такая ситуация может вызвать достаточно сильные эмоциональные изменения, препятствующие или ограничивающие хорошее взаимодействие между членами семейного ядра. Этот экстраординарный сценарий может в определенный момент вызвать чувство неудовлетворенности или ограничения отношений у некоторых членов семейной оси, поскольку они считают, что все родители должны быть способны быть или действовать эффективно в любых обстоятельствах, независимо от происхождения их действий.

---

[54] То, что находится вне времени или преодолевает его (http://buscon.rae.es/draeI/).

[55] Карлос Диас - исследователь и распространитель коммунитарной персоналистской мысли на испанском языке. Степень и доктор философии (Университет Комплутенсе, Мадрид), степень в области права (UNED, Мадрид), диплом в области политической социологии (Centro de Estudios Constitucionales, Мадрид). Является действительным профессором Мадридского университета Комплутенсе и постоянным приглашенным профессором Папского университета Мексики. Основатель Института Мунье в Испании, Мексике, Аргентине и Парагвае. В настоящее время он является президентом Фонда Эммануэля Мунье, членом редакционного совета журнала Acontecimiento и коллекции "Персона". Автор более 250 книг. Он был переводчиком и редактором многих классических анархистских трудов 1970-х годов. Именно этот феномен он называет **категорическим императивом.**

Эта сцена с философской точки зрения похожа на утверждение, что все родители должны быть хорошими родителями, а быть хорошими родителями - значит всегда быть в эмоциональном расположении к детям. И по этой же причине они должны быть постоянным примером поведения, чтобы любая ошибка, которую они совершат, сделала их плохими родителями. Можно заметить, что философская составляющая человека становится своего рода идеалом бытия или поведения, который человек приписывает людям или вещам, а затем, когда события или обстоятельства не соответствуют этому идеалу, человек дисквалифицирует и ошибочно полагает, что другие плохие или что они плохие люди, не останавливаясь на рассмотрении ситуаций, которые привели или определили реакцию или поведение.

Можно сказать, что этот компонент человеческого существа вносит значительный вклад в развитие моральных компетенций, которые делают возможным социальное сосуществование; однако, если не сделать эту мораль более гибкой и не оценивать все семьи так же, как свою собственную, человек впадает в моральный абсолютизм, который, если не выполняются самопоэтические предпосылки[56] , может вызвать чувство пустоты или неудовлетворенности, что, в свою очередь, приведет к невротическому поведению.

Когнитивный компонент

Когнитивный компонент активизируется всякий раз, когда идеал родителей изменяется, то есть если по какой-то причине родители не действуют в соответствии с философскими ожиданиями своих детей, немедленная реакция будет выражаться в когнитивных искажениях; эти отклонения проявляются в ошибках при обработке информации, полученной из когнитивных схем или личных предположений. По мнению Бека (Beck, 1967, 1979), одна из самых распространенных и очень частых в семейных взаимоотношениях ситуаций связана с "долженствованиями"; эти ментальные конструкты настолько сильны, что им обычно придается почти всемогущее значение; "Должен" означает, что родители должны быть или действовать в соответствии с идеалом, который человек установил для себя, и если эта предпосылка не выполняется, познание человека, который ее интегрировал, изменяется, а это, в свою очередь, приводит к поляризации убеждений в отношении родителей (хорошие родители, плохие родители). Если философский идеал хороших родителей не соответствует ожиданиям, то происходит когнитивное изменение, вызывающее негативное отношение к родителям, в результате чего ребенок испытывает когнитивное искажение, достаточно сильное, чтобы изменить свое восприятие родительской реальности.

Поведенческий компонент

В поведенческом компоненте отражаются когнитивные изменения, поскольку, если отношения с родителями выходят за рамки ожидаемого, последствия философских и когнитивных изменений проявляются в поведении. Можно сказать, что поведение - это репрезентация мысли, а мысль подчиняется тому, что установлено в сознании как конструкция социальной и личностной саморегуляции; следовательно, если родители не действуют в соответствии с тем, что ожидается, то, скорее всего, когниция будет изменена, и это изменение проявится в поведении, возможно, в агрессивном, пассивном, пассионарном или избегающем, неважно как, главное, что настроения неизменно проявятся в форме поведения.

Физиологический компонент

И, наконец, следствием этой взаимосвязи компонентов будет физиологическая реакция, изменения в органическом функционировании, возможно, в виде гастрита, колита и т. д. Иными словами, неизбежно изменение первого философского компонента рано или поздно отразится на физическом, в частности в виде болезней пищеварения или нарушений элиминации, а иногда и аллергии.

---

[56] Poietic означает быть продуктивным, творческим, но всегда подчиненным правилам
(http://www.boulesis.com/didactica/glosario/?n=64).

Поэтому можно считать, что независимо от способа наблюдения за эмоциональными реакциями (обработка информации, личностные компоненты), повседневный опыт неизменно связан с прошлым[57] . А это значит, что во многих случаях возникающие эмоции не являются исключительно продуктом настоящего опыта, скорее, эмоциональные нюансы переплетаются, что приводит к тому, что они иногда выходят из-под контроля, или экстернализируются непропорционально, или даже к тому, что эмоции, исходящие от переживаемой ситуации, кажутся человеку странными.

Это утверждение может показаться несколько алармистским в том смысле, что по этой причине можно сказать, что люди не способны распознавать свои эмоции или что они не способны контролировать свои эмоции, а значит, не несут ответственности за свои действия. В конечном итоге это не так, поскольку в процессе развития человека многие факторы могут способствовать улучшению контроля над эмоциями; однако есть и другие ситуации, которые могут ограничить или даже помешать этому контролю. Однако природа человека настолько точна, что, несмотря на препятствия, которые могут возникнуть, регулярно возникает подсознательное восприятие[58] , то есть своего рода внутренний интеллект, называемый интуицией, который будет способствовать установлению связи между тем, что является частью опыта, и тем, что соответствует реальному опыту.

Восприятие[59] - это субъективное ощущение, характерное для одного чувства и определяемое другим ощущением, которое атакует другое чувство. Эта способность, также называемая синестезией, позволяет воспринимать стимулы из окружающей среды. В этом случае стимулом может быть видение или слышание чего-то необычного или вырванного из контекста. Существует ряд факторов, влияющих на восприятие. Один из них связан с ценностями людей, если по какой-то причине происходит посягательство на эти ценности, например, увидеть или услышать физическую или словесную драку: например, увидеть или услышать физическую или словесную драку между двумя авторитетными людьми, получить непристойный комплимент от кого-то[60] или наблюдать эротические сцены против своей воли; примеры могут быть самыми разнообразными, как разнообразны и моральные установки людей, поэтому все, что воспринимается как угроза, будет отражаться тем или иным образом в изменении нервной системы через различные эмоции, такие как: гнев, страх, радость, удивление, отвращение или печаль. В том же смысле эмоции проявляются в установках, что означает, что эмоции переживаются внутренне и проявляются внешне через установки.

Наконец, мы имеем дело с обучением, и это относится к тому, как усваиваются ценности. Во многих случаях интеграция ценностей происходит не добровольно, то есть не учитывается воля того, кто усваивает ценности; ценности даются в негибком виде, чтобы им подчинялись члены семьи или общества, и все, что идет вразрез с этими ценностями, считается пагубным.

---

[57] Трансакционная теория восприятия, эта теория предполагает, что восприятие связано, помимо стимулов окружающей среды, с предположением о том же типе стимулов, окружающей среды. Предположение - это, как правило, бессознательный аспект, который можно описать как измерение прошлого опыта по отношению к настоящему опыту.

[58] Это распознавание стимулов, которые находятся ниже порога восприятия.

[59] Внутреннее ощущение, возникающее в результате материального впечатления, производимого на наши органы чувств (http://buscon.rae.es/draeI/)

[60] Низкий, неотесанный, недостойный, мерзкий (http://buscon.rae.es/draeI/)

**Рисунок F3.4 Восприятие,
влияющие факторы**

До этого момента мы уже объясняли, в частности, способ обработки информации, затем компоненты личности, а после этого объяснения - факторы, влияющие на восприятие. В этом описании мы смогли увидеть, как устанавливаются ценности, а их название указывает на представление качеств, которыми обладают некоторые реалии, которые считаются товарами и поэтому поддаются оценке. Ценности обладают полярностью, то есть они положительные или отрицательные, и иерархичностью, то есть они высшие или низшие. Как можно заметить, ценности поддаются оценке, поэтому им придается значение, но в равной степени полярность и иерархия, которыми они наделены, делают ценности ориентирами для наблюдения и регулирования человеческой деятельности во всех контекстах.

Вызывание слов: полярность, иерархия, наблюдение и регулирование, изолированные друг от друга, не подразумевают наличия более значимого атрибута, поскольку каждое из них в отдельности позволяет нам понять, например, что полярность предполагает признание того, что является хорошим или плохим, черным или белым, адекватным или неадекватным для функционирования семьи; иерархия подразумевает признание в семье авторитета отцовских или материнских фигур, в обязанности которых входит именно моделирование, уважение и поощрение внедрения этих ценностей во всех членов, входящих в семью; наблюдение предполагает знание и действие в согласии с этими ценностями; а регулирование подразумевает исполнение этих ценностей в семейном контексте и за его пределами.

Однако когда эти смыслы интегрируются и переносятся в сферу морали, то есть того, что связано с благом в целом и включает в это благо действия людей, может случиться так, что в этом действии то, что хорошо для одного, возможно, нехорошо для других. Поэтому цель этого раздела - сначала проанализировать, что и почему происходит, а затем предложить ресурсы когнитивной реабилитации, которые позволят нам переосмыслить неприятные переживания и задуматься о приятных, чтобы таким образом принять сосуществование с хорошими и плохими переживаниями как часть эволюционного или негэнтропийного процесса.[61]

---

[61] Негэнтропия определяет энергию как серию гармонично расположенных причин и следствий, в которой совокупность гармоничных эффектов приводит к соединению, превосходящему по величине исходное,

В просторечии энтропию можно представить как беспорядок в системе, то есть изменение однородности полученных сообщений. Таким образом, она является мерой неопределенности, существующей в наборе сообщений. В данном случае порядок, о котором мы говорим, - это моральная позиция, считающая, что телесная нагота может быть принята только при определенных условиях; и поэтому, когда по какой-то причине этот моральный порядок нарушается, считается, что существует беспорядок, и, как следствие, система убеждений закрывается, а отсюда и любая аргументация, противоречащая собственным убеждениям, отрицается.

Способ проявления оппозиции проявляется, когда стимулы, воспринимаемые с помощью пяти органов чувств и являющиеся значимыми, имеют преимущественно негативное значение, что вызывает эмоции страха, печали или отвращения, и поэтому воспринимаемое искажается; то есть эмоции преобладают над разумом, и поэтому оно когнитивно искажается.

Эти искажения заставляют человека, который их фиксирует, постепенно отдаляться от того, что ему угрожает, из-за эмоционального эффекта, который оно вызывает, и это отдаление постепенно ограничивает его действия со всем, что похоже или имеет определенную аналогию[62] с источником его искажения; то есть субъект не осознает, что даже если люди или ситуации могут быть похожи, всегда есть особенности, и поэтому каждого человека или ситуацию нужно наблюдать особым образом, а не путем обобщения событий или личностей.

Ресурс, предлагаемый для переориентации и роста в когнитивном измерении, состоит в следующем: пересмотр первоначального опыта, анализ того, что произошло в отсутствие философских ожиданий и эмоциональных нюансов. Если говорить очень конкретно, то анализ того, было ли пережитое событие, которое в определенный момент вызывало дискомфорт или даже эмоциональный дистресс, действительно вызвано катастрофическими ситуациями, или же эти ситуации противоречили собственным философским схемам, а потому были угрожающими и трудными для восприятия; таким образом, что используемое средство защиты состояло в обесценивании людей или дистанцировании от ситуаций, которые привели к искажениям. Один из аспектов, который необходимо учитывать и который следует добавить при пересмотре опыта, - это размышление о когнитивных ресурсах совладания, которыми человек обладает сейчас и которых ему не хватало в первоначальном опыте.

Это означает, что необходимо осмыслить все эмпирические ресурсы, полученные в процессе жизни. Если мы рассмотрим первый пример, приведенный в этой третьей главе, то вернемся к опыту студента университета, которому задали вопрос, а он не ответил, потому что сомневался в себе и предпочел отказать себе в возможности прояснить заданный вопрос. При этом он не осознает, что теперь у него есть все новые и новые ресурсы, чтобы справиться с любым когнитивным запросом. Одним из этих ресурсов является как раз его собственный опыт, другим ресурсом, который он имеет и может использовать, является языковая структура. Он теперь знает и умеет спорить, и еще один очень важный момент, который может быть очень полезен для него, - это признание того, что, хотя у него теперь гораздо больше достоинств, у него есть и ограничения, что может позволить ему принять себя таким, какой он есть, вместо того чтобы презирать себя за то, чем он не является. Это значит, что, хотя вы можете овладеть определенными областями человеческого знания, вы ни в коем случае не обязаны знать все обо всем, поэтому незнание не делает вас неграмотным или никчемным.

Все, что вам нужно сделать, - это принять свою реальность и избегать идеальности. Когда человек живет в идеале, он склонен возлагать на себя ожидания, не соответствующие реальности, и поэтому не исследует свой собственный потенциал. С другой стороны, человек

---

[62] Рассуждения, основанные на существовании сходных атрибутов у различных вещей или существ (http://buscon.rae.es/drael)

живет и стремится в соответствии с потенциалом других людей, желая быть или подражать их действиям. Такое видение внешнего заставляет тратить много энергии на действия, которые не способствуют собственному росту, а наоборот, вызывают сильное истощение, поскольку идеал - это лишь ошибочное представление о себе; с другой стороны, работа с собственной реальностью предполагает развитие собственного потенциала и влечет за собой те же затраты энергии, только в этом направлении человек постоянно получает пользу от психологической предрасположенности, то есть наслаждается процессом и принимает свои ограничения, даже несмотря на возможные неудачи, поскольку признает себя способным в одних областях и ограниченным в других.

Резюмируя терапевтическое предложение по восстановлению когнитивного измерения, необходимо: провести инвентаризацию того, что есть сейчас, и принять во внимание:

- Сам опыт.
- Когнитивный рост, который был закреплен.
- Полученный уровень владения языком.
- Возможности и ограничения, которыми пока обладают.
- Жить, опираясь на реальность, и избегать жизни с идеалом

Настоящее = Близость и сосуществование с самим собой

Идеал = идеализация или отдаление себя от самого себя

На следующем рисунке представлены все вышеперечисленные аргументы, но теперь в виде концептуальной карты:

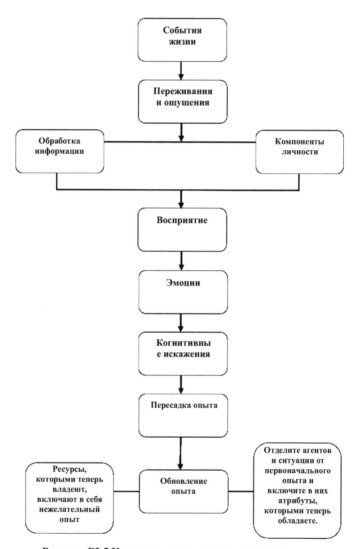

Рисунок F3.5 Когнитивное измерение, эволюция

Аффективное измерение

Давайте вернемся к понятию "измерение", которое обозначает грань чего-либо. Это подразумевает рассмотрение или учет аспектов, относящихся к человеку, в частности того, как он рассуждает, дает и получает привязанности в концепции самого себя, в соответствии со своей природой.

Если мы внимательно посмотрим на это определение измерения, то поймем, что этот термин подчеркивает три различных действия в одном направлении, называемом "Я". Из этих действий первое осуществляется интроспективно[63] , что и подразумевает акт рассуждения, а в двух остальных действиях активность осуществляется с другими, поскольку для того, чтобы быть в состоянии дать или предоставить что-то, необходимо быть в контакте с другими, а в контакте с другими можно получить. Итак, направление - это самость, и это происходит потому, что человеку необходимо быть в контакте с другими, поскольку таким образом развиваются индивидуальные способности, присущие homo sapiens; одной из этих способностей является именно язык во всех его вариантах (устный, письменный, невербальный и т. д.), эта уникальная способность человека повышает интеллект и позволяет осуществлять различные виды рассуждений, поэтому сосуществование с другими потенцирует рассуждения и дает в равной степени аффективные преимущества, которые отражаются в душе человека.

Слово "аффект" относится к аффектам и связано с чувствительностью, оно происходит от латинского *affectus, обозначающего* каждую из страстей ума, таких как гнев, любовь, ненависть и т. д., и особенно любовь или привязанность. Дух рассматривает душу или дух в той мере, в какой он является принципом человеческой деятельности. Таким образом, дух подразумевает мужество, усилие, энергию, намерение, волю и мысль. Теперь, когда нам стала ясна значительная глубина слова измерение и привязанность, мы можем объединить эти два понятия и более эффективно наблюдать за важностью развертывания этого измерения в человеке.

Однако для начала этого личного развертывания очень важно пересмотреть значение некоторых слов, которые, как и предыдущие, мы установили в предварительных строках; и в данном случае мы не имеем в виду понятие "знать", которое происходит от латинского *Cognoscere,* что означает: выяснять с помощью интеллектуальных способностей природу, качества и отношения вещей.

И в этом случае интеллектуальные способности будут направлены на познание собственной природы, а значит, человек будет стремиться познать себя, что подразумевает интеллектуальную способность распознавать свои качества и, в той же степени, свои ограничения. Аналогично этому, оно включает в себя отношения с самим собой, с собственной природой, следовательно, с собственной генетикой, а отсюда - отношения с другими людьми и с вещами. Таким образом, мы видим, что знание ведет к обладанию знанием, а с его помощью можно узнать больше о себе, таким образом, знание *себя* и следствие этого самопознания переходит в человеческие отношения через знание других и приводит к возможности знать их.

И снова мы имеем здесь действие, умилостивляющее направление (познание), которое ведет к познанию в двух направлениях - к себе и к другим. Но для того чтобы достичь этого интеллектуального роста, необходимо исследовать себя, с помощью этого интроспективного

---

[63] Внутреннее наблюдение за собственными действиями или состояниями ума или сознания. (http://buscon.rae.es/draeI)

действия можно распознать свои способности, которые можно развить, но которые в силу различных обстоятельств не раскрываются.

Но прежде чем приступить к этому анализу, следует отметить, что самопознание - задача не из легких: так, в древних Афинах некий софист пытался запутать Фалеса Милетского[64] , задавая ему ряд вопросов, чтобы оценить, насколько он мудр. Так что последний вопрос был о том, что является самым трудным из всех вещей, на что Фалес Милетский ответил: самое трудное из всех вещей - это познать самого себя.

Мы видим, что этот ответ несколько парадоксален, поскольку предполагается, что человек знает себя, однако не всегда удается узнать себя по собственным качествам, напротив, обычно наблюдение начинается с недостатков, что-то вроде категорического императива социального порядка, который навязывает неписаные правила, гласящие, что говорить о себе хорошо перед другими - это витиеватость, [65]Поэтому, чтобы быть частью общества или сосуществовать с ним, важно не нарушать социальные правила, поэтому принимается поза избегания самопризнания, до такой степени, что устанавливается категорический императив отказа себе в атрибутах при жизни с другими; Человек не осознает, что этот акт самопринятия приносит пользу в плане настроения, что отражается в таких установках, как: смелости, усилий, энергии, намерений, воли и оптимистических мыслей. Очень важным результатом этой позитивной самооценки является то, что ее можно делать постоянно, потому что человек не всегда живет с другими, напротив, он всегда и во все времена живет с самим собой.

В следующей схеме мы логично и динамично представим волевые требования акта познания, а также многочисленные позитивные, ментальные и психологические последствия познания *самого себя*.

Положительные последствия волевого, психологического характера и самоотношения, которые способствуют развитию аффективного аспекта.

---

[64] Фалес из Милета. Греческий философ и математик. Он родился в Фивах в 624 году до н. э. и умер в Афинах в 548 году до н. э. в возрасте 76 лет. Он был первым греческим философом, попытавшимся дать физическое объяснение Вселенной. Считается отцом философии и геометрии. (http://www.biografiasyvidas.com)
[65] Действие или обстоятельство, вызывающее оскорбление или бесчестье. (http://buscon.rae.es/draeI)

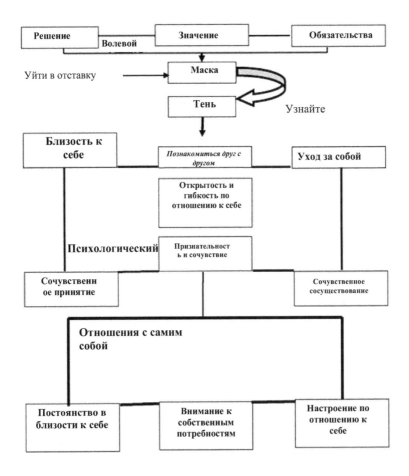

Рисунок F3.6 Аффективное измерение, эволюция

На рисунке 3.1 представлена пирамида волевых качеств, которые развиваются постепенно, когда ситуация и потребность сосуществуют, таким образом, что сам факт принятия этой потребности как своей собственной в данной ситуации приводит к формированию волевых ресурсов преодоления, которые укрепляют самооценку, уверенность в себе и, наконец, представление о себе.

Снова рассмотрим первый пример, который был представлен в аргументации когнитивного аспекта (студент, который не ответил на вопрос), скорее всего, наш студент, как и в случае с когнитивным аспектом, также может быть изменен аффективно. Это же событие может вызвать настолько сильное чувство раздражения или гнева, что вызовет эмоциональное гомеостатическое изменение, которое, в свою очередь, приведет к генерации энергии, достаточно мощной для выработки определенной фрустрации[66] , так что при физиологической

Теория фрустрации/агрессии Берковица (1989) представляет собой интеграцию наиболее значимых

и психической активации активируется агрессивное поведение, которое, согласно Берковицу (1989), может быть прямым, косвенным, вытесненным или самоагрессивным.

Именно о последнем я и хочу рассказать в этом разделе. Самоагрессивное поведение проявляется многими и разнообразными способами, некоторые из которых очень тонкие, и выражаются в курении, употреблении алкоголя, импульсивном поедании сладостей или конфет, приеме наркотиков, энергичной и продолжительной физической активности, импульсивном сексуальном поведении, уклонении от выполнения приоритетных задач, негативных самооценочных мыслях и т. д. Как видно, типы поведения, демонстрирующие связь между фрустрацией и агрессией, многочисленны и очень разнообразны, и не всегда при возникновении фрустрации используется одно и то же поведение; напротив, в зависимости от ситуаций, в которых находится человек в момент фрустрирующей ситуации, будет проявляться и самоагрессия, поэтому нельзя с уверенностью сказать, какой тип отношения примет наш студент в этом случае.

Ситуация, вызвавшая эмоциональное расстройство у данного молодого человека, заключалась именно в призыве учителя к вниманию, а потребность этого же молодого человека - в поиске способа рассеять повышение уровня энергии, которое выливается в проявление фрустрации. Следовательно, одним из способов рассеять напряжение является своего рода сублимация, то есть выведение этого напряжения в альтруистическое[67] или духовное поведение. Духовное поведение заключается в поиске истинного смысла вещей, и для этого студент сможет использовать свое решение, мужество и приверженность, чтобы справиться с исходной ситуацией; эта схема преодоления позволит ему сгенерировать два направления действий. С одной стороны, снять напряжение и, следовательно, фрустрацию, которая, в свою очередь, провоцирует самоагрессию; с другой стороны, это позволит ему/ей лучше узнать себя. Таким образом, ситуация, которая ранее решалась дисфункционально, теперь, при системном переосмыслении той же ситуации, может стать объектом другого подхода, имеющего смысл и, следовательно, более функционального, а главное, приносящего больше пользы в краткосрочной и долгосрочной перспективе. Таким образом, первые выгоды проясняются через необходимость выбора, а для выбора необходимо определить, какие действия предпринять, и в диапазоне вариантов, которые следует рассмотреть, необходимо решить открыть себя, и в этом акте самоисследования студент использует решение.

Принятое решение обязывает использовать интроспекцию, которая требует мужества и, в свою очередь, состоит в принятии того, что найдено, даже несмотря на то, что не совсем согласна с тем, что внутри себя; а приверженность предполагает отказ от маски[68] и признание тени[69] , которая, согласно Юнгу (1964,1965), является атрибутами и качествами,

---

элементов оригинальной теории фрустрации/агрессии и теории социального научения. Согласно этой теории, такой фактор, как фрустрация, вызывает повышение физиологической и психологической активации (например, гнев) индивида, что может привести к агрессивному поведению только в том случае, если в результате социального научения субъект усвоил коды, указывающие на то, что такое поведение уместно в подобных обстоятельствах (Манкелюнас В. М. *Психология мотивации 2001*).

[67] Альтруизм заключается в стремлении к благу других людей прежде, чем к собственному благу, поэтому для целей данного предложения альтруизм не применим (*прим. автора*).

[68] Юнг говорит, что Маска - это внешность, "которая иногда сопровождает человека всю его жизнь". За Маской скрывается проблема идентичности, поскольку внутренние и внешние обстоятельства человека не совпадают, и становится очевидной проблема отсутствия подлинности.
Маска используется для того, чтобы скрывать, защищать и оберегать близость сознательно или бессознательно. Ее задача - защищать индивида в социальной жизни (Jung C.G. 1964 *Man and his Symbols*).

[69] "Тень - это не вся бессознательная личность. Она представляет собой неизвестные или малоизвестные качества и атрибуты *эго;* аспекты, которые, по большей части, относятся к личной сфере и которые также могут быть сознательными. В некоторых отношениях тень может также состоять из коллективных факторов, которые связаны за пределами личной жизни индивида" (Юнг К.Г. 1964 *Человек и его символы*).

малоизвестными самому себе, но, тем не менее, составляющими часть эго[70] . Юнг говорит о том, что маска - это ресурс, позволяющий показать себя другим, и что она служит для защиты собственной интимности. Можно сказать, что маска - это как свет, который человек хочет показать другим, но на самом деле это лишь видимость, которая освещает и не позволяет увидеть реальность человека, и служит именно для того, чтобы скрыть проблемы идентичности; На самом деле эта маска позволяет человеку, часто использующему этот гедонистический ресурс[71] , бродить вокруг и чувствовать себя комфортно в обществе, парадоксальным образом отдаляясь настолько, что он становится нечувствительным к своим реальным индивидуальным потребностям. Однако настоящая проблема возникает тогда, когда человек сам перенимает этот ресурс, причем постоянно и до такой степени, что сам становится одержим маской, забывая о том, что он также является тенью.

Именно здесь волевые качества усиливают самосознание и способствуют укреплению решения отказаться от маски и заменить ее тенью, которая содержит атрибуты и качества самости, но которые необходимо обнаружить, чтобы распознать. Психологическая деривация проявляется в самом акте познания *себя*, и последствия этого будут проявляться в зависимости от самосознания человека.

Теперь можно будет более точно определить, какие аспекты себя ценить, какие не нужны, а главное - распознать, какими качествами обладает человек и какие можно усилить, чтобы продвинуться вперед[72] .

Это ощущение прогресса эмоционально влияет на поведение, характеризующееся открытостью и гибкостью. Это то же самое, что быть более терпимым к себе и признать, что ошибки или несовершенства, которые человек совершает, не делают его неуклюжим или ужасным, а только способствуют укреплению его свободы и индивидуальности; это само по себе благоприятствует двум интегративным аспектам, которые укрепляют эго, а именно: близости к себе и заботе о себе. Согласно Спинозе[73] , близость означает, что мы чувствуем свое тело, а не какое-либо другое тело, так что, чувствуя тело, мы узнаем его потребности, и только тогда эти потребности могут быть удовлетворены; таким образом, близость достигается, и непосредственный эффект этого акта проявляется в поведении, направленном на заботу о себе.

Связав этот эффект с настроением, можно заметить, что этот интроспективный опыт также вызывает своего рода эмпатию.[74] Проявляется ментальная и аффективная идентификация с самим собой, что означает, что больше нет необходимости использовать маску, поскольку важность тени в собственном развитии теперь признается и принимается безоговорочно. Это приводит к формированию отношения признательности, принятия и эмпатического сосуществования. Человек учится получать удовольствие, представляя себя другим как личность, которая находится в гармонии с собой и демонстрирует психологическую расположенность. Это расположение к себе позволит ему лучше осознавать свои потребности и быть чувствительным к потребностям других, в этом же смысле он узнает о важности общественного персонализма, где его собственные качества могут быть развиты в пользу себя

---

[70] Инстанция человека, находящегося в контакте с реальностью (*Энциклопедия педагогики/психологии 1997*).

[71] Стремление к удовольствиям. (http://buscon.rae.es/draeI)

"Люди, достигшие психического здоровья, узнают, что определение слова "прогресс" - это установление разницы между суммой личных свойств и качеств и обладанием большим количеством материальных благ. Таким образом, если человек достигает психического здоровья, он делает успехи, и эти успехи действительно видны: Способность, которую получают, увеличивать личные атрибуты и качества" (Ochoa A. 2013, *Systemic Vision, for a better lifestyle and quality of life*).

[73] Барух де Спиноза, философ XVI века

[74] Эмпатия; ментальная и аффективная идентификация одного субъекта с душевным состоянием другого (http://buscon.rae.es/draeI).

и других. Теперь, в этом измерении, аффективные отношения усиливаются, потому что внимание уделяется не только физическим, но и эмоциональным потребностям, которыми часто пренебрегают.

Развитие этого измерения в себе сделает оценку собственного поведения более гибкой, и если по независящим от человека причинам вновь будут допущены ошибки в рассуждениях или неточности в поведении, то уже не нужно будет эмоционально наказывать себя, а, напротив, понять, что на ошибках можно даже учиться и что не ошибается только тот, кто действительно ничего не делает; Напротив, человек учится на опыте и принимает пропозитивные установки, и главная установка, которую нужно поддерживать, - это именно самоуважение, что позволяет избежать самооценки и заменить ее на самоуважение, даже несмотря на недостатки, которые мы все так или иначе проявляем, как само собой разумеющееся.

Духовное измерение

Для того чтобы осознать это измерение, стоит поразмыслить над тем, какой путь мы проделали до сих пор. В когнитивном измерении мы можем заметить, что большая часть того, как человек воспринимает себя, происходит из опыта, который был эмоционально категоризирован, в основном благодаря предыдущим схемам совладания, а многие реакции, которые проявляются сейчас в настоящем времени, предпочтительно вызваны опытом, аналогичным текущим стимулам, Однако в настоящее время человек не представляет себя способным обладать все более и более совершенными когнитивными и эмпирическими аргументами, которые могли бы в данный момент обеспечить копинг-атрибуты, позволяющие эффективно справляться с любыми возникающими обстоятельствами, даже если они аналогичны первичному опыту.

С другой стороны, в аффективном измерении подчеркивалась важность познания себя; в этом процессе стало очевидно, что акт интериоризации себя способствует активизации волевых качеств, позволяя отказаться от маски и принять сосуществование с тенью, и, следовательно, было замечено, что это сосуществование укрепляет близость, контакт, эмпатию и отношения с самим собой. Эти глубокие и близкие отношения позволят развить чувство уважения, привязанности и признательности к себе, что позволит избежать резких и негибких суждений о собственном поведении, именно потому, что была подчеркнута важность ухода за собой.

Эта возможность знать, чувствовать, ценить себя есть конкретное то, что обычно называют духом; то есть дух - это "субстанция" человека, это тот сегмент нас самих, который делает нас похожими. Такие элементы, как раса или контекст, в котором мы живем, - это частности, они отличают нас от других, ведь говорят, что дух может жить независимо от тела, но тело не может жить без духа. Некоторые определяют дух как рациональную часть души человека или используют его как синоним личности и/или характера, потому что он понимается как движущая сила духа или вдохновляющая сущность, которая позволяет действовать в гармонии и обеспечивает естественную бодрость или силу, побуждающую к действию; это означает, что тот, кто считается духовным, воспринимается как энергичный, мужественный, волевой, энергичный, трудолюбивый, живой и изобретательный. Эти атрибуты достаточно полезны, чтобы справиться с любым событием, которое может возникнуть. Эти духовные силы связаны с целью творения, в данном случае это творение ориентировано на то, чтобы быть, хотеть и быть в состоянии делать то, что необходимо для развития способности к самопознанию.

Самопознание позволяет реально и объективно оценить свои возможности и ограничения. Эта объективность позволяет понять, что другие люди, как и мы сами, - существа, наделенные определенными качествами, которые достаточно полезны, чтобы справляться с повседневными потребностями, но в той же степени имеют ограничения, которые необходимо принять как таковые, чтобы не чувствовать себя плохо из-за них. Напротив, осознание этих ограничений заставляет нас искать внутренние или внешние ресурсы, чтобы уменьшить возможное вредное воздействие этих ограничений. Вместо того чтобы обесценивать или презирать себя за наличие определенных недостатков, такое самопознание способствует тому, что вместо того, чтобы тратить время и энергию на упреки, человек использует их для развития способности к рефлексии, чтобы не только видеть препятствие, но и решение с точки зрения собственного потенциала.

Эта возможность осмысления собственного потенциала личностного развития выходит за рамки простого самопознания, поскольку даже при таком самопознании можно достичь двух основных концепций осознания: когнитивного осознания и морального осознания[75]. Поскольку мы уже знаем, что когнитивное осознание усиливает важность обновления опыта, чтобы не жить, прикованным к бурному прошлому, которое ограничивает восприятие перспективного настоящего, а с другой стороны, моральное осознание учит сосуществовать с тенью, принимая ее атрибуты и ограничения.

Этот процесс позволяет познать себя, почувствовать себя, оценить себя и утвердить себя. Это значит утвердить себя таким, какой он есть; то есть быть человеком, способным найти положительный баланс между двумя элементами: вызовами, которые, как он предполагает, должны быть решены, и способностями, которыми он обладает, чтобы справляться с повседневными требованиями. В этом порядке идей человек, в свою очередь, может наделить других людей той же ценностью, которую он утверждает для себя, пока не достигнет трансцендентных отношений Я-Ты[76], также называемых межличностной коммуникацией, что приведет к физиологической гармонии, которая отразится в выполнении нормальных функций, а в когнитивном плане - в способности выносить соответствующие суждения.

Именно эта способность позволит достичь свободы активного и ответственного выбора. Когда люди действуют свободно, они могут реализовать свои собственные ценности и определить себя. Если свобода сопровождается действием, то она становится экзистенциальным выбором. С другой стороны, в этой свободе человек осознает свои границы.

Зная свои границы, он сможет понять себя и других, осознавая свою потребность быть и принадлежать обществу. Он сможет стремиться внести свой вклад и сформировать здоровое общество, в котором все люди смогут достичь высокого уровня саморазвития, не ограничивая при этом свободу другого; человек обретает свободу благодаря той роли, которую ему позволено играть в своем обществе. Человек также является *бытием-в-мире и бытием-в-мире,* что означает превращение мира в проект возможных действий и установок человека. Таким образом, можно воспитать уважительное и сбалансированное поведение по отношению к природе, принять свойства человеческой природы и лучше воспринимать реальность.

Если он способен воспринимать реальность, адаптироваться и действовать соответственно, не прибегая к маскам, **он** проявляет признаки психической гигиены. Когда человек становится

---

[75] Рока Х. (*Самомотивация* 2006)

[76] Мартин Бубер (1878-1965) постулирует тип отношений "Я-Ты" на уровне преодоления трансцендентальной модели интенциональности, с помощью которой отношения "Я-Ты" могут быть адекватно объяснены. Для Бубера сферой или локусом этого отношения Я-Ты является язык, который не находится в человеке, но именно человек находится в языке. Это означает, что отношение Я-Ты - это встреча, в которой другой является Ты в структурном смысле как нечто иное, чем Я; и поэтому это отношение никогда не является чисто субъективным событием, поскольку Я не представляет Ты, но сталкивается с ним. Бубер называет это отношение сферой взаимности, под которой он подразумевает равный статус другого перед я. Там, где субъект воспринимает другого как объект, нет ни встречи, ни взаимности как основания для ответственности, причем не только в этическом смысле этого слова.

активным проводником собственного выбора, он, помимо прочего, достигает:

- Осознание тела и навыки физической релаксации.

- Осознание эмоционального состояния и умение его контролировать.
- Осознание и принятие себя и чувство личной идентичности.
- Самостоятельность, способность самостоятельно принимать решения.
- Прямое восприятие реальности. Межличностное общение.
- Овладение личным окружением, включая способность любить чувства, решать проблемы и эффективно действовать

Способ наблюдения за этими достижениями в человеке выражается в установках и поведении восприимчивости и открытости по отношению к себе и к другим; таким образом, проявляется то, что в области психологии обычно называют психологической предрасположенностью. И это можно прояснить, когда человек способен:

- Реалистично и объективно оценивать свои обстоятельства.
- Проанализируйте свой опыт успехов и неудач во всех сферах деятельности компании.
- Оценивайте пережитые ситуации определенным образом.
- Соблюдайте ответственность за собственное поведение.
- Точное исследование своих навыков во всех областях
- Адекватно исследовать свои ограничения во всех областях
- Объективно оцените их способность адаптироваться к обстоятельствам, выходящим за пределы их самих.
- Признайте такой уровень приверженности, при котором учитываются все их обязанности.
- Проявляет интерес к повседневным занятиям.
- Ставьте перед собой задачи, которые должны быть близки, измеримы и, самое главное, достижимы.

Как видно, когда у человека есть психологическая предрасположенность, ему легко осознать, каковы переменные его личностного развития и как он может отслеживать установки и поведение, направленные на поддержание его профиля эффективности. Однако даже если человек осознает эту диспозицию, необходимо перевести ее в действие, то есть зарядить энергией и направить на конкретные достижения, которые он сам себе определяет. Таким образом, сам акт телесной работы приводит в действие ряд психических состояний, называемых "переменными", именно потому, что они нестабильны с эмоциональной точки зрения, а значит, это будет отражаться в поведении привязанности или отстраненности от той же деятельности, даже несмотря на первоначальное влечение, которое могло проявиться.

Эти переменные можно наблюдать за определенным поведением и даже записывать и количественно измерять, чтобы определить их влияние на настроение человека. Наиболее значимыми переменными являются: мотивация, внимание, стресс, уровень активации и уверенность в себе.
В спортивной психологии доктор Хосе Мария Бусета (1998), специалист в этой области знаний, обычно использует в качестве учебной модели схему психологических переменных, влияющих на спортивные результаты; однако за время использования этих схем в других областях, помимо спорта, мы поняли, что эта же схема может быть полезна в любой области человеческого развития и одинаково полезна для иллюстрации переменных, влияющих на развитие человека.

Рисунок F3.7 Размеры и психологическая предрасположенность

Как объяснялось в начале третьей главы, после объединения трех измерений личностного развития (когнитивного, аффективного и духовного) можно представить себя воодушевленным, что позволит действовать гармонично и обрести естественную бодрость или ощущение силы, которое побудит человека к действию, а значит, он получит достаточную мотивацию для противостояния повседневным требованиям, учитывая ресурсы, которыми он обладает, и ориентируя действия и цели на конкретные задачи. Эта возможность прояснить цели действий, следовательно, позволит обратить внимание на те конкретные ситуации, которые требуют внимания, эта интеграция разума и тела в одном месте и конкретное намерение, будет способствовать гармоничному и эффективному потоку ресурсов преодоления, в то же время, что и autres (положительный стресс), Парасимпатическая система сможет оптимизировать свое функционирование за счет увеличения выработки серотонина, до такой степени, что человек сможет получать удовольствие от своей деятельности, и благодаря этой способности получать удовольствие и осознавать, что у него есть навыки и когнитивные ресурсы для эффективного решения повседневных задач, ему удастся сбалансировать свое физическое и психическое функционирование. И именно в этот момент он или она обретет достаточную психологическую предрасположенность, чтобы принимать экзистенциальные вызовы энергично, смело, с желанием, духом, трудолюбиво, живо и находчиво.

В заключение третьей главы мы еще раз приведем клинический случай, тесно связанный с предложением этой главы; на примере этой истории можно будет проследить повседневные ситуации, которые, казалось бы, не вызывают последующих последствий, но которые, тем не менее, в представленном случае вызывают поведенческие изменения, достаточно интенсивные, чтобы нарушить когнитивные, аффективные и духовные аспекты.

Тематическое исследование № 3

Много раз "Далия" задумывалась о том, что стало бы с ее жизнью, если бы она родилась до или после того дня, когда появилась на свет, или чем ознаменовалось ее присутствие на планете Земля, если бы она должна была стать Далией. Да, той, что родилась на заре 80-х, она также задумывалась о том, существует ли она сейчас на самом деле и под какими параметрами она живет.

Время от времени мама рассказывала ему между приступами слез, что когда она рожала, то, видимо, ее маленькое тельце не помещалось в вагинальном канале, и тогда ловкий больничный ординатор с силой схватил ее за голову и практически тянул и тянул ее, чтобы доставить сюда, в наш земной мир; условия, которые продолжаются до сих пор и повторялись много раз в течение ее жизни.

В этой же истории после родов участвует и ее отец: есть анекдот о том, что, когда она была в инкубаторе, он с нетерпением ждал ее, но как раз в тот момент, когда он спросил медсестру, кто его дочь, она грациозно подняла руку, зевая, и представилась отцу, и с тех пор между ними установилась прочная связь любви и ненависти.

Часто, когда ее мать рассказывала эту историю, Далия чувствовала необходимость сдерживать слезы, она притворялась в ответ сильной, твердой, делая вид, что не является главной героиней собственной истории, и позволяя матери, которая рассказывала об этом опыте, взять на себя главную роль, потому что это скорее воспоминание о матери, чем ее собственный опыт.

Один из самых приятных моментов, который Далия помнит, - это когда один из ее дядей пришел к ней домой с очень большим подарком, чайным сервизом, и значение этого события заключалось в том, что подарок достался только ей. По какой-то причине это воспоминание со временем дало ей ощущение покоя, признательности и защиты.

Далия говорит, что с детства была боязливой, застенчивой и поэтому постоянно помнит себя за маминой юбкой; однако в других контекстах она также помнит себя храброй. Моменты страха и храбрости часто очень отчетливы для нее. Один из тех моментов, которые она помнит очень отчетливо, происходит в детском саду, хотя, говоря об этом, она говорит мне, что ей больше нравится называть детский сад школой (этот факт привлекает мое внимание, но я решаю не спрашивать о причине этого и позволяю ей продолжить свой рассказ), она упоминает, что они с соседкой вместе ходили в один класс; это место, по словам Далии, было очень зеленым, ярким и немного странным. Оказавшись в этом помещении, она заметила, что ее соседка плачет. Несмотря на это, Далия не почувствовала ни страха, ни тем более желания плакать, но, увидев, что соседка плачет, она решила, что, должно быть, плачет и она, и с этого момента она вспомнила, как плакала. Позже она перестала плакать, пока транспорт не привез ее домой, она приехала последней, и когда она добралась до дома, то вспомнила, что искала свою мать.

Далия очень четко помнит время, когда ей было 4 или 5 лет, когда она еще ходила в детский сад; меня снова поражает, что она называет это место несколько уничижительно, и рассказывает, что до сих пор помнит некоторых своих друзей и даже общается с ними сегодня или, по крайней мере, знает, чем они зарабатывают на жизнь, женаты ли они, держат ли они ромбовидную, круглую или цилиндрическую фигуру.

Она рассказала мне, что недавно прочитала книгу Роберта Грина, и ей бросилось в глаза, что в книге подчеркивается тот факт, что люди переоценивают свое детство; она предполагает, что не все люди так поступают. Однако она утверждает, что они правы, потому что детство полно мира, спокойствия, и особенно если у вас есть кров родителей, которые любят, обнимают, заботятся и защищают своих детей, и единственное, что важно, - это чувствовать себя любимым, в этот момент школьные оценки не имеют значения, поэтому детство переоценивается.

Постепенно появляются важные моменты ее жизни, она постепенно включает в свое повествование анекдоты и друзей, так что я быстро вижу, что Далия очень общительна, и ей нравится быть важной частью жизни своих друзей и сестры.

В том же ключе он рассказывает, что проводил много времени со своей сестрой, подчеркивает, с каким удовольствием они оба играли в игры-путешествия, и утверждает, что они никогда ни в чем не испытывали недостатка и всегда имели все необходимое для выживания. О своих друзьях-соседях он вспоминает, что они много играли и проводили много времени, играя друг с другом.

По словам Далии, с детства у нее был очень беспокойный ум, она любила все знать, ей нравилось изучать испанский язык и математику. Она вспоминает, что рано начала учиться, настолько, что в шесть лет научилась читать, писать, застегивать шнурки, раскрашивать внутри линии и постоянно радовала родителей своими многочисленными достижениями. Она говорит, что любит смеяться, так что эта черта была присуща ей с самых ранних воспоминаний, она любила быть независимой и учиться всему по-своему, фактически, по ее словам, она не любила, когда ей помогали в чем-либо. Он объясняет, что и сейчас такой же, настолько, что завершил свою диссертацию без особой помощи со стороны. И он подчеркивает, что ему нравится учиться по-своему и в своем темпе.

Эта предрасположенность к отсутствию внешней зависимости заставляет ее оценивать себя иначе, чем другие, и даже это отличие иногда доводит ее до такой степени, что она начинает чувствовать себя некрасивой, маленькой, странной, и это вызывает у нее страх, который нервирует ее и заставляет ее хотеть быстрее вырасти, чтобы перестать так себя чувствовать.

По ее словам, поскольку она не могла ускорить свой рост, она решила создать свой собственный мир, в котором всегда хранила бумаги. Ей нравилось представлять, что она создала пузырь и поместила в него устройство, работающее на педалях, чтобы подниматься вверх и открывать другие миры, мир ее историй, где были лягушки, великаны и лисы.

Еще один аспект, который выделяет ее, - это то, что ей нравилось чинить бытовую технику, от видеомагнитофонов до стереосистем. Она говорит, что не знает, как это у нее получается, но обычно ей удавалось их починить.

Одна особенность, которая продолжает впечатлять ее в себе, заключалась в том, что по сравнению с девочками и многими мальчиками ее возраста она была очень сильной, и до сих пор остается такой, а еще она была очень устойчива ко всему, никогда не болела, и ей казалось, что, что бы ни происходило с ее телом, она сопротивляется всему, но теперь она знает, что это не так.

Теперь он знает, что тело не выносит печали, а боль в виде чувств заставляет его думать, что все его тело сломано. Физическая боль не причиняет той же боли, что и эмоциональная. Физической боли сопротивляются, а также учатся сопротивляться, Далия это сделала.

По словам Далии, примерно в пятом классе начальной школы по неизвестной причине ее перевели в другую школу. Она помнит это очень отчетливо, потому что у нее также поменялись рюкзаки и школьные принадлежности; она помнит, что все было новым, за исключением ее друзей, и ей было очень трудно общаться с другими, поскольку, по ее словам, ей не хватало социальных навыков.

Она также рассказала о своем дискомфорте от перемен, хотя в глубине души говорит, что была счастлива от всех этих изменений. Кроме того, она утверждает, что дети, которых она знала в своей старой школе, заставляли ее уставать, поскольку она никогда не чувствовала себя ценной и знала, что ее присутствие в старой школе никого не впечатляет.

Ее сентиментальные отношения варьировались от очень невинных до более официальных и с большим количеством контактов; в одних случаях встречи были очень невинными, в других - более интенсивными. Все ее бойфренды были разными: одни высокие, другие короткие, одни блондины, другие смуглые; одних она любила влагалищем, других - сердцем, третьих - разумом и кошельком.

Она не знает, кто придет в будущем, но знает, что тот, кто любил ее своим пенисом, заставил ее почувствовать себя женщиной, а тот, кто любил ее своим сердцем, заставил ее страдать и вибрировать. Ни один из них не был лучшим или худшим, потому что Далия прожила эти моменты со страстью, с безумием и с той самоотдачей, о которой говорят ее любимые любовные романы и героини, которыми она так восхищается.

Лучшей подругой Далии была ее сестра, разница в возрасте между ними составляла всего три года, и они рассказывали друг другу обо всем, что произошло за день, когда приходили домой. Эта связь укрепилась после смены школы: теперь они обе ходили в одну и ту же школу. Далия чувствовала себя очень комфортно, разговаривая с сестрой, ведь она всегда втайне восхищалась ею, а теперь, когда у них появилась возможность подружиться, она считала это замечательным.

В средней школе начались большие перемены: сначала в ее теле, потом в привычках, а затем и в отношениях. Она приобрела женские манеры, стала курить и пить, постепенно нарушала правила поведения в доме и из-за этого часто опаздывала домой. Мать никогда не говорила ей, что такие поступки запрещены, однако ей нужно было это знать. По словам Далии, именно эти упущения в проявлении авторитета матери привели к тому, что Далия постепенно отдалилась от нее. Кроме того, ее старшая сестра начала приводить домой своего парня.

Они с сестрой делились своими переживаниями и эмоциями, то есть всем, что с ними происходило, парень сестры был ей симпатичен, поэтому Далия тоже была в восторге, она считала, что парень очень красив и идеально подходит ей, видимо, ее мать думала так же; Несмотря на то, что все трое были согласны в своей оценке жениха, ее мать не хотела, чтобы Далия знала, что происходит в отношениях ее сестры, и однажды, когда ее мать узнала, что дочери говорят друг с другом об их отношениях, ее мать очень сильно отругала ее и сказала Далии, что она не сможет рассказать матери сестры о том, что происходит, Мать очень сильно ругала сестру и утверждала, что Далия слишком молода, чтобы знать о таких вещах, и сказала ей, что она не должна рассказывать сестре о некоторых вещах, что это взрослые вопросы и что в будущем она должна рассказать об этом матери, то есть своей матери.

Это вторжение матери вызвало у Далии чувство вытеснения и сильную боль, поскольку она почувствовала, что у нее отняли подругу, сестру и наперсницу, человека, с которым она больше всего себя идентифицировала и любила; с этого момента сестра сменила наперсницу и подругу, и с тех пор она осталась одна и чувствовала себя вытесненной. Она обратилась к матери. Со временем они стали неразлучными друзьями.

В тот день она потеряла отношения с матерью и сестрой. Все изменилось, даже Далия почувствовала, что что-то внутри нее сломалось, и в результате изменилось все ее восприятие мира. Она до сих пор не знает, что именно потеряла или приобрела от этого отчуждения, но знает только, что после этого опыта она стала чувствовать себя злой, грустной и одинокой.

Это одиночество проявлялось в бунтарстве, и при этом усиливалось. Он хотел привлечь внимание матери и сестры, уходил из школы, приходил поздно, попадал в опасные ситуации, которые постепенно становились все опаснее и опаснее, но они этого не замечали, они были слишком заняты разговорами о парне.

Вспоминая эту сцену, она грустит и думает, что если бы ее не было, она была бы счастливее, меньше скучала по матери и получила бы возможность сильно полюбить свою сестру.

Она не помнит своего отца в этих сценах, наверное, он работал, просто отвозил ее в школу и каждое утро перед прощанием говорил ей: "Учеба - основа успеха", учеба - основа успеха, учеба - основа успеха, учеба - основа успеха, учеба - основа успеха, учеба - основа успеха, учеба - основа успеха, учеба - основа успеха; она никогда не знала, о каком успехе он говорит и какую учебу имеет в виду.

Во время эмоциональных взлетов и падений, характерных для всего подросткового возраста, она постоянно набирала и сбрасывала вес; она заметила, что когда худела, то получала много внимания не только от противоположного пола, но и от людей в целом; когда же набирала вес, то все было наоборот.

Эмоциональные колебания и неизменное бунтарство - постоянная составляющая жизни Далии, провоцирующая частые столкновения с властью; неважно, кто ее осуществляет, главное - бросить вызов. Наказания, которые она получала, были не телесными, а скорее профессиональными, и во многих случаях ее заставляли делать planas и planas школьных упражнений; она с радостью выполняла их, пропуская уроки и встречаясь с другими учениками в учебном заведении. Такое количество дисциплинарных проступков имело свои последствия, и через некоторое время она снова сменила школу. Теперь она перешла из государственной школы в общественную, обычаи которой сильно отличались, и она так и не смогла понять причину этой разницы.

Поэтому она вернулась в школу, где училась в первом классе, и мало-помалу начала адаптироваться, встречать разных людей, таких же бунтарок и проблемных девочек, как она сама.

Отсутствие родительского авторитета стало отражаться на Далии, и этот вакуум родительского контроля позволил ей прикрыть его сигаретами, алкоголем, сексом и дикими приключениями.

Далия осознает, что все, что произошло, привело ее к тому, что она стала тем человеком, которым является сейчас. Есть много вещей, которые ей нравятся в себе и которые она не хотела бы менять, но есть и другие, которые она хотела бы изменить, и которые причинили ей боль, и эта боль все еще присутствует, это боль, которая не проходит.

Творческие способности и интеллект Далии часто проявлялись, что иногда позволяло ей организовывать фиктивные акции по сбору денег, выручка от которых шла на продолжение вечеринки. Однако этот ум и стремление никогда не были направлены на школу; напротив, она всегда бросала вызов авторитетам. Еще один пример ее интеллекта произошел на уроке истории, где дежурный учитель любил диктовать, что казалось ей утомительным, поэтому она решила выйти из этого транса, изменив исходную историю, и в итоге, вместо того чтобы переписывать то, что диктовал учитель, она посвятила себя воображению всех национальных героев, как будто они были рок-певцами, и в итоге получилось ироничное изложение нашей собственной национальной истории. Однако у дежурного учителя возникла идея пересмотреть диктанты, и, к ее несчастью, ей пришлось пересмотреть, несмотря на свою оторванность от предыдущего диктанта, она представила написанное учителю; учитель прочитал написанное, она ожидала наказания, но получила лишь улыбку учителя, и он без лишней суеты указал на важность знания истоков нашего общества; поэтому он попросил ее придерживаться истории в том виде, в каком она была, поскольку это было важно для причины, по которой она оказалась в этом классе.

Эти постоянные сцены бунтарства заставили ее обратиться к специалисту по психическому здоровью, который, в свою очередь, предложил ей взять академический отпуск, что она и сделала, и проводила время в школе, давая уроки английского; ей очень нравилось это занятие, а главное, она была рада тому, что получает доход, поскольку это позволяло ей повысить чувство независимости. Со временем он осознал важность учебы и снова взялся за образование, поступив в среднюю школу полушкольного типа; в этой школе он учился всего два часа, первые два часа он посещал утром, его одноклассники имели много общих черт, среди которых было и бунтарство. Несмотря на эти возражения, в конце концов они образовали хорошую группу, многие изменили прежние жизненные установки и стали целеустремленными; это в конечном итоге позволило ему повысить средний балл успеваемости, и он смог получить выше восьмерки. Если для других это могло быть средним показателем, то для Далии это было большим достижением. Она совмещала работу и учебу, в обоих видах деятельности она трудилась и в обоих росла; таким образом, этот жизненный опыт позволил ей получить преимущества усилий и привязанности, но самое важное, что дал ей этот этап жизни, - она научилась понимать, что прогресс не всегда идет впереди, иногда можно продвигаться и вбок.

В конце этого цикла она нашла профессиональное призвание, ориентированное на человеческое поведение и работу психики; к этому этапу жизни ей уже было что анализировать, особенно в отношении себя. Первые дни в университете заставили ее сильно нервничать, но со временем она адаптировалась и смогла втянуться в философские дискуссии, читая официальные книги по профессиональному обучению, которые поглощала до полуночи. Это путешествие к профессиональным знаниям позволило ей проанализировать и пересмотреть свой жизненный путь, и это проникновение в себя всколыхнуло ее воспоминания, усладило ее настоящее и ужаснуло ее будущее.

Этот период жизни приносит ей эмоциональное спокойствие, позволяющее расширить аффективный горизонт, и именно в это время она начинает новые отношения, теперь уже не с мальчиками своего возраста, а, напротив, с младшей сестрой, и в этот период жизни она возвращается к совместной жизни в качестве сестры и ощущению благополучия. Ситуации, через которые проходит Далия, теперь направлены на ее личностный рост, и когда она завершает свою профессиональную карьеру, она также решает начать отношения, но теперь уже более формально, она вступает в отношения с целеустремленными людьми и с молодыми людьми без идеалов, она переезжает в другой город и решает начать свой профессиональный путь; ей удается развить рабочие навыки и реализовать свой личностный потенциал. Однако отношения не складываются, и он решает вернуться. После возвращения он понимает, что условия дома резко изменились, находит неполную семью и решает жить с отцом, который заботится о двух его братьях, включая сестру, ту самую, которая некоторое время назад вернула ему чувство сестры и ощущение благополучия.

Вернувшись домой, она не только накопила опыт, но и набрала лишний вес, из-за чего чувствовала себя очень некомфортно. Со временем это чувство усилилось, и теперь она страдала от депрессии и некоторой тревожности, вызванных ее состоянием и той же семейной ситуацией. Одним из способов решения этой проблемы стало поступление в аспирантуру, которую она успешно закончила, и ей осталось только выполнить необходимые действия для получения официальной степени.

В жизни Далии произошла большая трагедия, когда умерла ее мать; для нее это стало неожиданностью, так как она никогда не знала о реальной болезни своей матери. Возможно, из-за отсутствия братской близости, а может быть, потому, что мать не хотела этого делать, но факт остается фактом: она умерла внезапно, и все были удивлены этим известием, оно оказало такое воздействие, что она и по сей день не верит, что ее больше нет, и не очень понимает, куда она делась, она словно исчезла в одночасье, как будто ее никогда и не было, кажется, что она была только в ее мыслях.

Далия до сих пор очень скучает по ней, ей хочется крепко обнять ее и почувствовать ее запах, те теплые объятия, которые могла дать только она; ее присутствие, ее сумасшествие и то, как она любила поправлять волосы особым образом.

Он задается вопросом, что ему делать со своей одеждой и почему люди должны покупать так много одежды, если, когда придет время уезжать, никто не будет знать, что с ней делать, и никто не будет ее носить.

Она чувствует себя очень пустой и грустной, вспоминая все, что сделала с ней мать; ее лицо, ее черты, теперь она знает, как больно отсутствие. До недавнего времени Далия не прощала мать и не прощала себя. Далия простила ее за то, что она забрала у нее сестру, за то, что не была с ней на протяжении всего подросткового возраста, за то, что она была непостоянной, жесткой и легкой в любви и привязанности.

Далия не хочет, чтобы это прошло, потому что это больно, как в детстве, когда ты играешь и режешься, и эта боль кажется слишком сильной для любого тела. Далия терпела до сих пор, но наступают дни, когда кажется, что жить дальше невозможно. Она не знает, что будет в будущем, но хочет быть счастливой и преодолеть то, что ее мучает. Преодолеть себя, преодолеть смерть матери, преодолеть свои ментальные барьеры тела, разума и духа.

Как видно из этой истории, между матерью и дочерью изначально была установлена связь любви и страдания; в случае с матерью ее основной предпосылкой было то, что она страдала, чтобы родить ее, а Далия заставила ее страдать, чтобы родиться, и поэтому она благодарна за то, что родилась.

Другими словами, между ними негласно устанавливаются отношения любви/страдания/печали[77] , в результате чего они оба бессознательно действуют в соответствии с этими чувствами.

Еще один факт, проявляющийся в этом повествовании, заключается в том, что мать разделяет отношения сестер и по непонятной причине включает в них себя. Это действие исключает Далию из сестринских отношений, что вызывает у нее своего рода реляционную и аффективную изоляцию, и в то же время провоцирует чувство раздражения, которое она проявляет в поведении, вызывающем отношении к авторитету матери, что-то вроде способа привлечь ее внимание с помощью дезадаптивного поведения. Когда Далия не получает ожидаемых результатов, она постепенно усиливает свое дезадаптивное поведение, вплоть до того, что вовлекается во все более рискованные для себя ситуации.

Моя встреча с этой историей жизни произошла после смерти матери Далии, то есть примерно через три месяца после ее смерти. В то время Далия находилась на стадии гнева,[78] , которая

---

[77] То, что формально не понимается, не воспринимается, не слышится и не говорится, но предполагается и выводится (http://buscon.rae.es/drael).
[78] Кюблер-Росс Э. (1969) О смерти и умирании

характеризуется "отрицанием, сменяющимся яростью, завистью и обидой; появляются все причины и следствия". Родителям и всем окружающим трудно справиться с этой стадией, потому что гнев выплескивается во все стороны, даже несправедливо. Они часто жалуются на все, все не так и все подвергается критике. Затем они могут ответить болью и слезами, чувством вины или стыда".

Реакции боли, вины и стыда проявлялись у всех членов ее семьи, с которыми она жила в обычном режиме; с младшей сестрой сосуществование было мирным, с братом не было серьезных контактов, а с отцом словесные конфронтации были очень постоянными. Похоже, что оба находились в одной и той же фазе горя; несмотря на эти столкновения, отец Далии возложил на нее обязанности замещающей матери, требуя, чтобы она следила за тем, чтобы все ели дома, а также контролировала младшую сестру в отношении школы, друзей и прогулок по выходным.

Чтобы как-то разрешить свое горе, Далия принимает отведенную ей роль, а в обмен получает финансовую поддержку для завершения академического этапа.

Основная жалоба Далии заключалась в том, что ее очень задел уход матери и что она хотела бы разрешить свои разногласия с ней; но, с другой стороны, она чувствовала сильное раздражение на нее, потому что та не позволяла ей сблизиться с ней. Чтобы разрешить этот процесс, мы использовали технику из конструктивистской психотерапии Мишеля Махони[79] , которая заключается в написании письма, которое никогда не придет и которое никто не прочтет, только тот, кто его пишет; польза этого терапевтического ресурса - лишь катарсическая.[80] После нескольких сеансов Далии удается смягчить свое горе, и теперь она пребывает в легкой депрессии и начинает смиряться со смертью матери.

Одним из источников ее депрессии было то, что отец с каждым днем все больше полагался на нее в решении вопросов в семье с четырьмя членами; эта задача, по словам Далии, доставляет ей удовольствие, поскольку она чувствует себя полезной и наслаждается возможностью принимать решения по этим вопросам. Однако больше всего ей не нравится, что отец не выполняет свою родительскую роль в отношении опеки над ее братьями и сестрами, и именно она принимает решения об отпуске сестры и ее участии в родительских собраниях. В какой-то степени Далия может найти эту роль приятной, но что ее действительно беспокоит, так это то, что отец постоянно ставит под сомнение ее решения, что приводит к участившимся ссорам между ними.

Мы проанализировали эту проблему на сессиях и выяснили, что, хотя ей нравится пользоваться авторитетом, который дает ей отец, он, в свою очередь, не берет на себя ответственность за выполнение отцовских обязанностей, а вместо этого решает допросить ее. В этот момент она сама осознает, что действует так же, как и отец, то есть не берет на себя ответственность за себя, потому что вместо того, чтобы искать работу, ей удобнее сидеть дома и откладывать обязанность обеспечивать себя, потому что у нее уже есть ресурсы и навыки для этого.

Она решает смириться с этим и берет на себя ответственность не брать на себя роль замещающей матери. Она выполняет свое решение, и через неделю мы снова встречаемся; на этой встрече она рассказывает, что решительно противостояла отцу и объяснила, что может быть только сестрой, но не матерью своих братьев и сестер, поэтому попросила отца позаботиться об остальном, который с неохотой принимает решение Далии; Однако он наказывает ее, говоря, что отныне ей придется самой обеспечивать себя, чтобы покрыть

---

[79] Махони, М. (2003) *Конструктивная психотерапия*.
[80] Устранение воспоминаний, нарушающих сознание или нервное равновесие (http://buscon.rae.es/draeI)

расходы на учебу в аспирантуре, и что он поддерживает ее этими деньгами, чтобы она могла выполнять всю эту работу. Ответ отца эмоционально дестабилизирует Далию, но она не теряет спокойствия, и в терапевтической сессии мы концентрируемся на анализе этой проблемы; с одной стороны, она боится, что не сможет продвинуться вперед, но с другой стороны, она чувствует себя освобожденной и счастливой от осознания того, что смогла эффективно справиться с неудобством, и что, хотя результат оказался не таким, как она ожидала, он сам теперь заставляет ее взять свою жизнь под контроль. В этот момент я останавливаю то, что она только что сказала, подчеркиваю важность ответственности, когда она принимается и когда отрицается, говорю ей, что оба варианта полярны; то есть, когда человек принимает на себя ответственность за собственные действия, он не всегда будет пользоваться симпатией окружающих, напротив, другие будут демонстрировать поведение, направленное против его собственного решения, потому что теперь от него нельзя будет зависеть, и тогда во многих случаях реакцией оппозиции будет наказание тем или иным способом того, кто хочет освободить себя.

В равной степени, если ничего не предпринимать, чтобы взять на себя ответственность, есть риск жить в зависимости, финансовой или эмоциональной, и со временем эта тенденция может привести к продолжению депрессии из-за необходимости быть или действовать от других, а значит, к потере самостоятельности.

Таким же образом я концентрирую свой терапевтический анализ на важности самонаблюдения за прошлыми переживаниями и на том, как они каким-то образом пытаются разрешиться сейчас, в настоящем времени; я говорю ему, что стоит проанализировать эти переживания, чтобы переосмыслить их и проанализировать с диалектической точки зрения, то есть придать переживаниям значение полезности, а не значение боли и страдания. В этот момент он осознает, что многое из того, что он делал в своей жизни, чтобы забыть, отдалиться или наказать свою мать, позволило ему совершить смелые и даже страшные поступки, и что эти поступки привели его к осознанию того, на что он способен; он принимает, что все, что ему нужно сделать, - это извлечь из опыта положительное, и, следовательно, меняет свое восприятие себя. Он понимает, что не все действия, предпринятые ради собственного блага, будут одобрены другими, но, несмотря на это, стоит придерживаться своего плана, потому что человек обязан быть независимым, а для того, чтобы взять на себя эту независимость, нужна ответственность.

Глава 4

Системные события

Недавно я получил размышления о парадоксах, которые часто возникают в наше время очевидной современности, когда можно получить информацию буквально по любому вопросу, просто подключившись к кибернетической сети через компьютер, возможности вникнуть в любую тему растут в геометрической прогрессии. Это означает, что люди больше знают о своем окружении, но меньше общаются со своими сверстниками; С другой стороны, у нас больше домов, но меньше семей, мы можем иметь больше удобств, но меньше времени, чтобы наслаждаться ими, у нас больше академических благ и меньше здравого смысла, больше экспертов в области здравоохранения, но больше болезней, имущество умножается, а ценности уменьшаются, мы много говорим, но мало любим и слишком много лжем, мы научились зарабатывать на жизнь, но не знаем, как ее прожить, мы покорили космос и не знаем внутренностей, словом, мы больше в количестве и меньше в качестве.

Вопрос в том, как это произошло? Ответов на этот вопрос много, и было бы очень сложно попытаться подробно объяснить факторы, которые спровоцировали такой парадокс. Однако он охватывает значительную часть населения. Давайте подумаем об университетском населении, в частности о людях в возрасте от восемнадцати до двадцати пяти лет, и я хотел бы утверждать, что они так или иначе погружены в эпоху кибернетической коммуникации, которая сегодня легко доступна благодаря многочисленным предложениям, существующим для блуждания в виртуальной эпохе[81] , и которая, как видно из ее названия, имеет свойство оказывать влияние на тех, кто получает доступ к кибернетической коммуникации. Особенность этого эффекта заключается в том, что он очень привлекателен благодаря тому, что здесь представлены все темы, связанные с людьми, даже те, которые в свое время могли считаться запретными. Привлекательность заключается именно в том, что можно открыть для себя все - от очень глубоких и просветительских тем до очень извращенных и непристойных, и именно это условие делает представленные ресурсы настолько привлекательными, что многие молодые люди становятся их постоянной жертвой.

Проблема этой поколенческой тенденции заключается в том, что у молодых людей развивается настолько сильная электронная зависимость, что они даже полагают, что общение - это то же самое, что и установление контактов в социальных сетях, которые так распространены в виртуальном пространстве. Да ладно! Сегодня очень часто можно увидеть молодых людей в университетских аудиториях с ноутбуками и даже с очень сложными портативными телефонами с бесчисленными приложениями, некоторые из которых слишком сложны. Самое любопытное в этом человеческом феномене то, что, хотя ноутбук и позволяет эффективно искать информацию, он также в равной степени предлагает альтернативные варианты отдыха, которые побуждают людей оставаться буквально приклеенными к этим устройствам в течение длительного времени. Конкретно это проявляется в классе, когда студент, пришедший на занятия, должен слушать лекции преподавателя и одноклассников, но вместо этого он погружается в свой компьютер и не обращает внимания на все остальное. Эта ситуация становится настолько распространенной, что многие университеты сочли необходимым регламентировать использование этих устройств из-за чрезмерного времени, затрачиваемого на их работу, и фактора отвлечения, который они генерируют.

Лично я считаю подобные инструменты очень полезными при условии, что они используются

---

[81] (от лат. *virtus*, сила, добродетель).который обладает способностью производить эффект, хотя и не производит его в настоящем, часто в противоположность *эффективному* или *реальному*. (http://buscon.rae.es/draeI)

с должным благоразумием, однако в случае со значительной частью молодого населения этого не происходит. Здравомыслие не проникает, напротив, преобладает эйфория от современности, и тогда инструменты, созданные для того, чтобы сделать жизнь человека более эффективной и комфортной, в итоге порабощают его, вызывая профессиональную и экономическую зависимость.

Однако эта зависимость проявляется не только в этих двух аспектах, но и в том, что она приводит к значительному снижению других аспектов, которые также важны для развития личности, поскольку молодые люди проводят так много времени в социальных сетях, что пренебрегают другими потребностями, которые также важны. Их зависимость настолько велика, что они, вероятно, оставляют незавершенными учебу, семью, свидания, отдых, физическую активность и т. д. Постепенно, даже не осознавая этого, когда они перестают уделять внимание другим занятиям, которые уже являются частью их повседневной практики, задачи, связанные с этой рутиной, накапливаются, так что через некоторое время наваливаются работа, обязательства, лишний вес, тревога, депрессия и т. д.

Технологии здесь и сейчас, они были созданы для того, чтобы облегчить жизнь человека, и я считаю, что эти ресурсы не следует демонизировать; однако их использование должно быть рациональным и использоваться для того, чтобы сделать жизнь более приятной. Но факт остается фактом: во многих случаях необходимо постоянно балансировать между пользой и зависимостью, которую могут вызывать эти ресурсы.
Портативный телефон был создан для облегчения общения, но иногда все получается наоборот. Его использование ограничивает возможность осуществления настоящей интерлокации. Этой форме общения придается такое большое значение, что забывается, что самое лучшее общение - это общение между людьми, и в этом дискурсивном диалоге сочетаются многие элементы, укрепляющие родственные, семейные, супружеские, братские и социальные связи.

Человеческое общение

Целью данной работы не является написание трактата о коммуникации, ведь на книжном рынке существует огромное количество текстов, подробно описывающих и объясняющих эту задачу; основная цель включения некоторых строк о коммуникации - подчеркнуть преимущества, которые дает общение на когнитивном, аффективном и поведенческом уровнях.

Пол Уотцлавик[82] утверждает, что "коммуникация - это *непременное условие*[83] человеческой жизни и социального порядка". Поэтому необходимо внимательно изучить последствия, выгоды и трансцендентность ее правильного управления.

Основная функция коммуникации.

Королевская академия испанского языка определяет слово "символ" как "чувственно воспринимаемое представление реальности в силу признаков, которые ассоциируются с ней в соответствии с социально принятой конвенцией"; таким образом, слова - это фонетические и письменные символы, которые вместе образуют систему коммуникации, содержащую словарь или лексикон слов. Однако для этих базовых элементов необходима грамматика (синтаксис) или набор правил для объединения слов в правильно сформированные предложения.

---

[82] Ватцлавик П. Бивин Бавелас Дж, Джексон Д.Д. (1991) *Теория человеческой коммуникации.*
[83] Выполнение которых необходимо для эффективности действия, к которому они относятся.
(http://buscon.rae.es/draeI)

Семиотика - это наука, которая изучает именно эти символы. Семантика изучает отношения между словами и их значениями. А синтаксис устанавливает правила построения правильно оформленных предложений.

В самом упрощенном виде можно сказать, что язык состоит из знаков, образующих акустическое представление, называемое словом, которое, в свою очередь, порождает образ, уточняемый в объекте. Частое и адекватное использование языка активизирует когнитивное развитие человека и позволяет ему повысить способность рассуждать во всех видах рассуждений (логических, бытовых, научных, силлогистических и т.д.); таким образом, слова - это систематические коды репрезентации, заданные набором правил (кодификацией), между набором символов (репрезентантов) и набором сущностей (репрезентируемых). Код - это любая система, состоящая из набора знаков и комбинаторных правил, с помощью которых можно составлять сообщения.

Кодировать - значит создавать сообщение по правилам кода. Значение символа - это сущность, которую он представляет. Интерпретировать или перевести символ или сообщение - значит расшифровать его, найти его значение. Код подразумевает конвенцию, общую интерпретацию и определяет язык. Код является конвенциональным, если его правила или критерии молчаливо приняты обычаем или традицией. Представление вещей и действий в человеческом языке лишь приблизительное и несовершенное. Язык совершенствуется и улучшается по мере развития когнитивных способностей разумных существ, поэтому основная функция языка заключается в том, что он обеспечивает общение между людьми, поскольку при его использовании возможны ощущения, восприятия, апперцепции, стимулирование внимания и укрепление памяти.

Типы диалогов и аксиомы общения.

Известно, какие ресурсы необходимы для хорошей коммуникации, но также известно, как их использование позволяет повысить когнитивное развитие, поскольку их применение стимулирует внимание и укрепляет память; Это позволяет интегрировать информацию посредством должной категоризации, и таким образом в простом диалоге может быть произведено множество умственных операций, которые действуют как гимнастика мозга для тех, кто ими пользуется, поскольку стимулируют множество представлений и мысленных образов, которые, в свою очередь, вызывают такое же количество ощущений и восприятий. Эта возможность отражается на уровне кортикоидов и, следовательно, вызывает бурную мозговую деятельность.

Диалог - это разговор между двумя или более людьми, которые попеременно выражают свои идеи или симпатии; а если добавить к определению диалога дискурсивную концепцию, то она предполагает использование аргументативных концепций, которые демонстрируют или убеждают слушателей или читателей, стимулируя тем самым рассуждения.

Таким образом, мы можем наблюдать, что существуют различные типы диалогов, такие как: дискурсивный, телефонный или кибернетический диалог. Они стимулируют создание ощущений и восприятий; однако можно сказать, что первый является более полным с точки зрения проприоцептивных и экстероцептивных реакций, которые он порождает, главным образом потому, что в его осуществлении участвуют все органы чувств, в отличие от телефонного и кибернетического диалога, где экстероцептивные возможности снижены. В этом смысле внутренний диалог, то есть то, что другие могут назвать внутренней коммуникацией, характеризуется тем, что при его осуществлении не требуется вербализация мысли, но, с другой стороны, она аргументирована, что приводит к установлению диалога со всеми нюансами дискурса.

Существует аксиома человеческого общения, которая устанавливает предпосылку, что *невозможно не общаться*, и это верно, потому что неактивное участие в дискуссии позволяет телесно передать нежелание общаться. Теперь, в этом же разделе аксиом, устанавливается, что для того, чтобы коммуникация состоялась, необходимо чувство реляционного содержания. Для того чтобы разговор мог существовать, необходимо, чтобы между собеседниками были содержание и отношения. Это само по себе ведет к созданию имплицитной и эксплицитной *метакоммуникации*, которая приводит к совпадению большого количества элементов, обогащающих диалог. И наконец, диалогическая коммуникация приводит к появлению последовательности фактов, которые постоянно вспоминаются и тем самым активизируют когнитивные процессы. Таким образом, коммуникация работает как система, которая, когда она открыта, позволяет всем органическим элементам индивида гармонично протекать, но когда она закрыта, она угнетает свою функцию, а значит, органически влияет на это угнетение.

Таким образом, общение в различных его формах обладает терапевтическим эффектом, поскольку его использование стимулирует и заряжает энергией способность чувствовать, воспринимать, мета-коммуникацию, фокусироваться, рассуждать, воспринимать и укреплять память. Неважно, какой тип коммуникации используется; однако наиболее стимулирующим эти факторы является общение между двумя человеческими существами, поскольку сама близость позволяет более четко уловить эмоциональные нюансы разговора, в отличие от телефонного или кибернетического общения, которое по своим характеристикам не обладает большими прерогативами.

Понятие системы, подсистемы и суперсистемы в человеке

Первый гласит, что система - это набор частей, скоординированных и взаимодействующих для достижения определенных целей. Следовательно, человеческое существо является таким набором скоординированных частей. Различные органические системы, обеспечивающие гармоничное функционирование, например: дыхательная система, обеспечивающая адекватную вентиляцию организма, пищеварительная система, отвечающая за переработку, распределение питательных веществ и выведение отходов, и система кровообращения, отвечающая за распределение необходимого количества крови по всему организму, которая работает в координации с другими аппаратами, постоянно очищая кровяную жидкость. Таким образом, организм - это суперсистема, функции организма - системы, а органы - подсистемы. Однако для того, чтобы расширить эту перспективу и поддержать это предложение с точки зрения совершенствования человека системным образом, что в конечном итоге является целью этой четвертой и заключительной главы. Таким образом, системой будет человек, подсистемой - области развития человека, а суперсистемой - семейное окружение, в котором живет человек.

Таким образом, мы видим, что согласованные части - это органические системы, главная цель которых - поддерживать оптимальное функционирование, чтобы человек мог выполнять все те задачи, которыми он потенциально наделен, и что именно для достижения этой эффективности необходима синхронность работы, которая в конечном итоге и является главной целью различных систем.

Как только человек сможет функционировать синхронно и эффективно, он сможет выполнять различные задачи, будь то учебные, духовные, игровые, рабочие, индивидуальные, аффективные, сексуальные, социальные, семейные или физические задачи. Другими словами, именно эта возможность оптимального функционирования позволяет человеку выполнять различные задачи, которые в совокупности дают ему возможность исследовать и развивать свой потенциал. Некоторые из этих областей будут более часто посещаемыми, другие, скорее всего, не получат столько внимания, несмотря на такое пренебрежение; цель этой главы - показать важность внимания к каждой из этих областей и продемонстрировать преимущества, присущие их развитию.

Таким образом, подсистема состоит из сфер или областей развития, которые, как следует из их названия, являются активной частью развития и эволюции человека. Если человек перемещается по ним, он развивается и способствует росту и эволюции своего потенциала, а если этого не происходит, то возникает риск обратного, то есть инволюции[84] .

Итак, мы уже знаем, что система - это человек, а подсистема - области развития, поэтому можно сказать, что суперсистема состоит из семейного окружения, в котором живет человек, суперсистема - это сама семья, где все члены функционируют в соответствии с установками и потребностями семьи; именно поэтому важно, чтобы все участники семьи четко осознавали свой потенциал развития и свою функцию в этой вселенной.

В этом смысле мы можем заметить, что в трех категориях систем задействована одна и та же характеристика, то есть все они рекурсивны и имеют общие свойства, что означает, что конкретные потребности систем могут повторяться непрерывно, не теряя своих первоначальных характеристик. Это означает, что у всех членов семьи одинаковые потребности и одинаковые обязанности; то есть эффективность функционирования обычной семьи измеряется тем, что каждый человек должен выполнять какую-то деятельность на благо семьи, причем у одних больше задач, у других меньше, и даже зависит от других, как, например, младенцы. Однако, даже несмотря на свою зависимость, младенцы могут быть источником удовлетворения и мотивации для остальных членов семьи и своим присутствием способствовать улучшению настроения остальных.

Концепция открытых и закрытых систем в человеческих отношениях

Первые характеризуются тем, что у них нет обмена с окружающей средой, поскольку они герметичны для любого воздействия. Таким образом, закрытые системы не получают никакого влияния из окружающей среды, но, с другой стороны, они и не влияют на нее. Они не получают никаких внешних ресурсов и ничего не производят.

Это означает, что в закрытой системе нет взаимодействия с внешней средой и, следовательно, они не производят, что может проявляться в поведении людей, которые не взаимодействуют с другими. Человеческое поведение имеет множество разнообразных вариантов, и было бы очень сложно определить предшествующие стимулы и последующее поведение для всех видов поведения; тем не менее, есть определенные поведенческие модели, которые имеют тенденцию становиться поведенческими моделями. Так, например, мы можем наблюдать, что в университетской среде в различных группах очень часто возникают подгруппы, которые формируются естественным образом, либо благодаря учебным связям, шуткам, вкусам, внешнему виду и т. д. Любопытно, что они создают свои собственные системы открытого поведения между сродствами и закрытого в не-сродствах, возможны случаи, когда существуют комбинации, но в значительной степени сосуществование подгрупп не смешивается друг с другом, порождая закрытые системы, которые представляют обмен со средой, которая их окружает.

Открытые системы - это те, которые имеют обменные отношения с окружающей средой через входы и выходы. Открытые системы регулярно обмениваются веществом и энергией с окружающей средой. Они в высшей степени адаптивны, то есть для того, чтобы выжить, они

---

[84] Остановка и обращение вспять биологической, политической, культурной, экономической и т.д. эволюции.

должны постоянно подстраиваться под условия окружающей среды.

Как видно, в системе такого типа происходит обмен материей и энергией; материя - это социальные отношения, а энергия - состояние души, порождаемое этими отношениями. Этот постоянный обмен благоприятствует адаптивному развитию, поскольку требует постоянного приспособления к условиям окружающей среды, так что они могут "представить себя в вдохновляющем настроении, которое позволит им действовать в гармонии и обрести естественную бодрость или чувство силы, которое побудит их к производству". Таким образом, им удастся получить достаточную мотивацию для того, чтобы справляться с повседневными требованиями, учитывая ресурсы, которыми они обладают, чтобы ориентировать действия и цели на конкретные задачи, эта возможность прояснить цели действий, следовательно, позволит им обратить внимание на те конкретные ситуации, которые требуют внимания; следовательно, эта интеграция разума и тела в одном месте и конкретное намерение, будет способствовать гармоничному и эффективному потоку ресурсов преодоления, обычно называемых социальными навыками.

Энтропия и негэнтропия как следствие развития человечества

Энтропия означает конец определенной системы, объясняемый потерей организации, особенно в изолированных системах (без обмена энергией с окружающей средой), которые заканчиваются полным вырождением. Отсюда следует вывод, что такие системы обречены на хаотичный и разрушительный конец, даже если они будут пытаться стабилизироваться, они впадут в хаос и беспорядок. Несмотря на то, что энтропия действительно влияет на закрытые системы, она также оказывает влияние на открытые системы, когда они пытаются бороться с энтропией, порождая так называемую негэнтропию.

Негэнтропия - понятие, противоположное энтропии: она стремится к порядку и стабильности в открытых системах. Она относится к энергии, которую система берет и сохраняет (энергия, извлеченная из внешней среды) для своего выживания, стабильности и улучшения внутренней организации, поэтому она является саморегулирующимся механизмом, способным поддерживать себя и сохранять равновесие.

Как видно, сосуществование людей порождает постоянный обмен энергией, способствующий стабильности и улучшению внутренней организации. Что касается эмоционального равновесия, то оно, безусловно, достигается не только благодаря социальному сосуществованию; существуют и другие внешние источники, позволяющие достичь равновесия, однако социальное развитие также предполагает общение, и даже оно включено во все сферы человеческого развития.

Таким образом, мы видим, что, с одной стороны, человек имеет возможность регулировать себя через развитие всех своих областей, и это позволяет ему жить негэнтропийно, с порядком и гармонией, пока он держит свои системы открытыми, то есть движется нечетко во всех возможных областях, иначе, если он избегает движения в любой области, он закроет свои системы, и это приведет к возможному хаосу, который будет иметь системные последствия.

Этот транзит через различные области не только способствует порядку и стабильности, но и отражается в схемах общения, где они смогут развиваться в когнитивном и эмоциональном плане. Последнее будет выражаться в том, что чем больше ученик взаимодействует с большим количеством сверстников, тем выше уровень эффективности социальных и коммуникативных навыков; следовательно, тем выше навыки и способности справляться с трудностями, которые обычно возникают.

Однако не только эти два аспекта человеческого знания (человеческая коммуникация, общая теория систем) вносят значительный вклад в развитие. Мы даже можем заметить, что с физиологической точки зрения более эффективное функционирование и большее присутствие серотонина отражается на развитии. Серотонин - это нейромедиаторы, которые находятся в различных областях центральной нервной системы и имеют большое отношение к настроению. Помимо прочего, они способствуют развитию чувств спокойствия, мудрости, улучшают восприятие вкусов и даже признаны очень эффективными в наведении сна; они также способствуют повышению эффективности сексуальных реакций, что может проявляться в большем количестве улыбок. Таким образом, с социальной, когнитивной, поведенческой и гуманистической точек зрения человек развивает больше навыков и способностей, которые способствуют укреплению его потенциала, а значит, и его эволюции.

Эволюция и системное развитие

Наконец, мы подходим к кульминационному моменту, где можно будет связать предыдущие главы поведенчески; в этой главе основное предложение сосредоточено на различных областях человеческого развития. Здесь основная предпосылка сосредоточена на предложении дистально-проксимального развития. Это означает, что будут некоторые аспекты, которые хотелось бы изменить, но, тем не менее, придется учитывать только те обстоятельства, которые человек может контролировать и которые зависят от его собственной деятельности, то есть внутренние переменные, в основном из-за того, что в этих переменных можно получить полное осознание собственной ответственности, которая приходит с созданием самого себя. Конкретно речь идет о порождении автопоэзиса.

Для того чтобы добиться такого самостроительства, прежде всего необходимо осознать образ жизни, который человек ведет, и, как мы видели на протяжении всего тематического путешествия, это можно сделать, наблюдая за собой, что достигается путем анализа повседневной деятельности, на которую он тратит свое время. Основная цель этого задания - лучше осознать, какую деятельность человек выполняет и сколько времени тратит на то или иное занятие.

Еще одна возможность, открывающаяся при таком анализе собственного поведения, - это визуализация того, когда и сколько времени можно посвятить новому виду деятельности, в случае, если человек хочет приступить к нему. Именно с этого момента начинается аутопоэзис. Во-первых, вы должны знать, что вы делаете, чтобы решить, что вы хотите делать.

После этого мы представляем модели поведения, которые способствуют хорошему психическому здоровью. На данном этапе цель состоит в том, чтобы определить своего рода направление, то есть то, на что можно ориентироваться, если человек хочет достичь такого здоровья, очевидно, исходя из тех преимуществ, которые это влечет за собой. Затем была установлена важность роста в измерениях бытия, в этом разделе объясняется, как развивать когнитивное, аффективное и духовное. И наконец, в этой части книги речь идет о развитии в различных областях, в которых человек склонен двигаться. Однако, несмотря на все преимущества, которые можно получить, все еще могут существовать определенные эмоциональные сопротивления, которые в определенный момент могут помешать самонаблюдению; именно поэтому можно включить еще один ресурс, который поможет сделать этот процесс более динамичным.

Для этого необходимо прекратить поиск улучшений и сосредоточиться на опыте, который был получен в течение жизни; некоторые переживания могли быть очень приятными и значимыми, другие - не такими приятными, но в той же степени они означали обучение; другие переживания, вероятно, были более драматичными и также оставили след в памяти, основанный на неприятных ощущениях, которые были первоначально испытаны. Опыт, полученный в течение жизни, классифицируется, как объясняется в разделе, посвященном обработке информации, где, в частности, говорится, что по мере получения опыта человек классифицирует его на хороший, плохой, приятный, неприятный, опыт, который нужно запомнить, или опыт, который нужно забыть.

Такой тип классификации переживаний Махони называет категоризацией, то есть человек не только проживает переживания, но и классифицирует их, то есть относит их к определенной категории. И эта тенденция к классификации зависит от эмоционального оттенка, породившего переживание (боль, радость, печаль, удивление и т. д.). Стоит помнить, что некоторые авторы утверждают, что боль неизбежна, но страдание - нет, боль, вызванная переживанием, может иметь такое воздействие, что возникает сильный дискомфорт, причины, провоцирующие это, многочисленны и очень разнообразны, начиная от потери близкого человека, ампутации телесной конечности, потери близкого человека, смерти близкого человека и пр, ампутация конечности, несчастный случай с летальным исходом, жертва насилия, объект насмешек или обид со стороны кого-то конкретного, действующее лицо постыдного события, посягательство на собственную скромность и даже физическая потеря или потеря домашнего животного. Эти события могут стать источником сильной боли, однако, даже несмотря на столь интенсивное переживание, человек может решить со временем остаться с ним, и тогда боль превращается в страдание, то есть ощущение боли затягивается, становясь спутником жизни, либо он принимает неприятность переживания, осознает обстоятельства, в которых происходили события, и оценивает свои действия. Человек анализирует, в какой степени он сам несет ответственность за свои действия и в какой степени обстоятельства или внешние события стали причиной переживаний. После того как внутренние и внешние аспекты событий проанализированы, можно вынести соответствующие суждения, причем настолько, чтобы сделать себя ответственным за внутренние или собственные действия и принять внешние как нечто, что нельзя контролировать, но можно усвоить.

Последнее Эдит Хендерсон Гротерг (2006) называет жизнестойкостью[85] , и в своем предисловии она красноречиво рассказывает о важности и преимуществах этого ресурса. "Сегодня, как никогда (и, конечно, как никогда), нам необходимо развивать и использовать жизнестойкость в повседневной жизни, в работе, в личной, общественной и политической жизни, а также в семейной жизни...... Потому что устойчивость можно развить в любой ситуации, которая вызывает стресс, или в любом опыте, который переживается как неблагоприятный. Мы не хотим сказать, что жизнестойкость защищает или укрывает нас от опасностей, рисков или стрессовых ситуаций. Это не ее задача. Да, нам нужна защита, но жизнестойкость означает не только поддержку, силу и возможности, но и действия по преодолению невзгод, с которыми жизнь сталкивает нас ежедневно.

С этой точки зрения, представленной автором, мы видим, что драматические события или ситуации поддаются ассимиляции, и в этом же смысле мы можем обрести силу и способность противостоять неблагоприятным обстоятельствам, которые могут возникать ежедневно.

Нечто очень похожее на диалектический анализ опыта, который способствует позитивному взгляду на негативные события, говоря более просторечным языком, относится к тому, что негативные события вызывают кризисы; однако именно эти кризисы могут вывести человека из них, а затем эта попытка исправить ситуацию приводит к развитию другой кривой роста. Это очень похоже на то, как смотреть на неблагоприятную ситуацию с оптимистичным взглядом, с точки зрения модели психического здоровья - искать решение, а не

---

[85] Хендерсон Г.Э. 2006 (*Устойчивость в современном мире*)

концентрироваться на проблеме. Или установить внутреннее сомнение в отношении "то, что случилось со мной, делает меня таким, какой я есть сейчас" или "то, чего мне не дали родители, делает меня таким, какой я есть сейчас"; как мы видим, эти два вопроса способствуют поиску решений в определенной ситуации, и даже из того же вопроса предполагается найти что-то положительное в негативных событиях, поэтому такое видение себя в направлении силы и роста называется устойчивостью, и это именно то, что предполагается при таком типе подхода.

Итак, я считаю уместным объединить устойчивость с двумя тесно связанными теоретическими предложениями, первое из которых относится к трансцендентальной модели Бернарда Лонергана[86] . Эта модель подходит к анализу человеческого существа и разделяет его на три видения, а именно: опыт, понимание и суждение. Он акцентирует внимание на суждении, то есть развивает томистский взгляд[87] на бытие как на цель динамической открытости человеческого духа. Во-вторых, он подчеркивает ценность пиковых переживаний в соответствии с рассмотренной выше перспективой Абрахама Маслоу (1964).

В случае с опытом, согласно Лонергану, этот автор предполагает, что речь идет о тех переживаниях, которые мы испытываем обычным образом, и их совокупность скрепляет субстанцию бытия. Именно это позволяет проявиться потенции человеческого существа, что требует понимания обстоятельств, в которых происходит опыт, чего-то вроде диалектического анализа собственного опыта, а затем, исходя из этого, выработки суждения в отношении собственной жизни.

Существует очень наглядный ресурс, позволяющий провести подобный анализ собственного опыта и вызывающий адекватный самоанализ; более того, в некоторых случаях он был очень полезен при выявлении драматических ситуаций или моментов. Этот ресурс представляет собой проективную кривую, которая позволяет сначала идентифицировать позитивные и негативные переживания, а затем в равной пропорции идентифицировать периоды, в которые эти переживания происходили.
То, как она представлена, позволяет тем, кто захочет ее проработать, провести очень точный самоанализ времени, позитивных и негативных ситуаций собственного существования.

Она называется кривой пикового опыта, поскольку ее платформа основана в первую очередь на видении самореализации в теории человеческих потребностей Абрахама Маслоу; однако при исследовании самого опыта она проводится под прикрытием диалектического анализа.

---

[86] Лонерган Б. 1957 (*"Озарение - исследование человеческого понимания"*)
[87]

Св. Фома Аквинский (1225-1274) *Теория акта и потенции*

Он также разделяет с Аристотелем различие между бытием в действии и бытием в потенции. Под бытием в действии он, как и Аристотель, понимает субстанцию, какой она предстает перед нами в данный момент и какой мы ее знаем; под бытием в потенции он понимает совокупность способностей или возможностей субстанции стать чем-то иным, чем она есть в данный момент. Ребенок способен стать человеком: он, следовательно, ребенок в действии, но человек в потенции. Иными словами, он еще не мужчина, но может им стать.

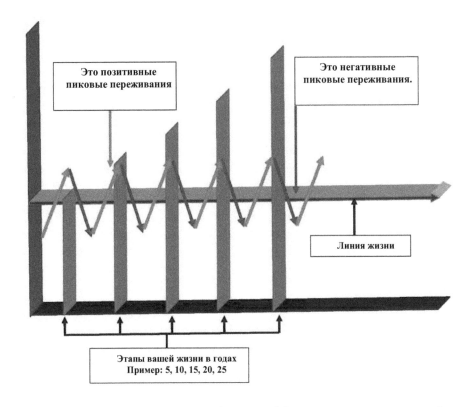

Это позитивные пиковые переживания

Это негативные пиковые переживания.

Линия жизни

Этапы вашей жизни в годах
Пример: 5, 10, 15, 20, 25

Если вы выполните это упражнение, то сможете наблюдать за собой с точки зрения пиковых переживаний в вашей жизни, независимо от того, положительные они или отрицательные.
Это позволит вам вспомнить те события, которые когда-то наполняли смыслом ваше существование, и вам станет легче проводить самонаблюдение.
Вам также следует задать себе этот вопрос:

> **Что из того, что не дали мне родители, сделало меня таким, какой я есть сейчас?**

> **Что в том, что мне дано, делает меня тем, кто я есть?**

Анализ опыта встреч на высшем уровне

Рисунок F4.1

Линия, проходящая через эту кривую, называется линией жизни и представляет собой пройденный жизненный путь. Вертикальные линии представляют собой годы, разделенные пять на пять по всей линии жизни. Основная цель такого деления - быстрее определить значимые события, которые можно проанализировать.

Терапевтический эффект этого упражнения обусловлен тем, что таким образом можно ясно увидеть, какие этапы собственного существования были благоприятными с точки зрения того, что они оставили положительные чувства; точно так же можно увидеть, какие ситуации вызвали противоположные.

Еще один аспект, который следует выделить в этом ресурсе, заключается в том, что можно определить, в какой момент жизни произошли события, независимо от того, насколько они позитивны или негативны. Однако элемент, который увеличивает преимущества этого ресурса, связан с видением, полученным от пережитых событий. То есть происходит изменение когнитивной перспективы самооценки собственного существования, достигается жизнестойкое видение себя.

В результате можно извлечь выгоду из вредных событий и переключить восприятие негативных событий на позитивное восприятие, способствующее личностному росту. Начните это упражнение с вопросов: что родители не дали мне такого, что сделало меня таким, какой я есть сейчас, и что они дали мне такого, что сделало меня таким, какой я есть? Это позволяет поставить себя в настоящее время и перестать думать о прошлом, придя к выводу, что единственное, что можно исправить, - это настоящее, потому что прошлое ушло и не может быть исправлено. Таким образом, обращение к прошлым событиям лишь способствует возникновению чувства фрустрации и раздражения; с другой стороны, если человек концентрируется на своем настоящем, он становится ответственным за свои действия, а значит, получает возможность контролировать свои обстоятельства и направлять свои действия в более перспективное будущее.

Предполагается, что читатель не чувствует угрозы от первоначально пережитой эмоции, а лишь описывает отличительные черты этой сцены и замечает, что драма его переживаний не была всей его жизнью, но в его существовании были моменты, когда переживания были приятными, и поэтому его существование было сбалансированным. Также стоит обратить внимание не только на негативные, но и на позитивные переживания, которые в результате имели и положительные стороны, например, нежелание проходить через тот же опыт снова.

Теперь давайте посмотрим на глубину анализа, который можно получить, когда это упражнение выполняется добровольно и честно, с единственным намерением взять на себя полную ответственность за пережитые события.

Этот анализ пиковых переживаний соответствует студенту университета. Она позволяет себе модифицировать первоначальный формат, но при этом остается привязанной к первоначальному замыслу интроспективного упражнения.

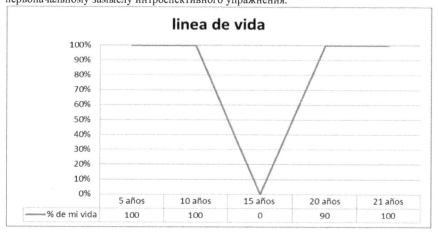

Разрабатывая свою линию жизни, размышляя и возвращаясь в прошлое, чтобы понять, что отметило меня в счастливых и неприятных событиях, я поняла, что у меня было очень хорошее и стабильное детство с моей семьей, моими родителями и моим братом. У меня много очень приятных воспоминаний о детстве, все мои дни рождения отмечались, как и дни рождения моего брата, мы ездили на каникулы, я любила встречать Рождество в другом штате, потому что вся семья собиралась вместе, мы ездили с дядями и тетями, которые жили там.

Отсюда другие мои дяди, бабушки и дедушки уезжали в караване, а большинство из нас, кузенов, ехали с дядями в пикапе, отдыхая, пока не уставали от дороги и не засыпали; когда мы приезжали, мы говорили, что были очень близко, потому что мы все спали и даже не чувствовали дороги.

Есть много прекрасных событий и впечатлений, которые я пережил со своей семьей. Я также помню, как во время каникул я оставался с братом и смотрел фильмы, пока мы не засыпали в гостиной, мы все ходили есть, в кино, а мои родители, брат и я занимались разными делами.

Это счастье длилось до 15 лет, потому что я пережил событие, которое повлияло на меня эмоционально: я пережил ссоры между моими родителями, пока мне не исполнилось 16, и они решили разойтись. Я пошел с матерью, а мой брат остался с отцом, это было самое абсурдное и трудное соглашение, через которое мне пришлось пройти, когда я отделялся от брата и отца; я думал, что понимаю ситуацию между моими родителями, потому что думал, что лучше всего было бы отделиться, потому что я не хотел видеть их ссоры, но их дети никогда не спрашивали нас, хотим ли мы отделиться друг от друга. Брат прожил у меня четыре года, тогда ему было одиннадцать, мы были не так уж молоды. Но мне было очень больно расставаться с ним, мы все делали вместе: играли, гуляли, дрались, он был моим маленьким мальчиком, и я чувствовал ответственность за то, чтобы всегда заботиться о нем. Сейчас я понимаю, что это событие помогло мне повзрослеть во многих аспектах, я ценю то, что у меня есть на данный момент, я не сравниваю себя с другими, но я понимаю, что люди, вещи и ситуации, которые я ценю, очень важны для меня, потому что эти болезненные переживания не делают меня лучше или хуже, все, что произошло, - это часть того, что я есть сейчас, я была сильной, потому что всегда искала положительные стороны жизни.

Они продали дом, где мы жили вчетвером, каждый из моих родителей снова купил себе дом, я навещал брата и отца, но для всех нас это была такая большая депрессия, что отец, казалось, забыл обо мне, потому что если я не искал его, то и он не искал, он сосредоточился на чистой работе, чтении, своих увлечениях. А мой брат - ни слова, хотя он проводил выходные с мамой или иногда оставался с нами спать, но это было уже не то, он вырос и сменил нас на видеоигры, если мы куда-то ходили, он шантажировал маму, что должен ей что-то купить, он стал материалистом, и если мама не покупала ему то, что он хотел, он угрожал, что не увидит нас на следующей неделе, и выполнял просьбу.

Это были трудные времена, потому что мама устала от необходимости покупать ему все, что он хочет, потому что ей нужно было его видеть. Из-за гордости мы не виделись почти полгода, пока мой брат не поехал на день рождения бабушки, и тогда мы увиделись; мы поговорили, но тогда я понял, что отношения никогда не будут прежними, было много отдаления, мама впала в глубокую депрессию, из-за которой она сосредоточилась только на своей работе. Она - учительница средней школы, и каждый день после обеда она занималась планированием и проверкой работ, а по субботам поступала на юридический факультет, который она закончила, но так и не стала практиковать.

Она очень пренебрегала мной, я не хотел ее беспокоить, долгое время я не давал ей покоя, потому что никогда ничего не говорил, иногда разговаривал с ней, но это всегда было поводом для обсуждения, поэтому я решил больше никогда не поднимать эту тему, очень трудно говорить с тем, кто не хочет слушать. Я выглядела как мать, потому что занималась уборкой дома, на какое-то время она забыла, что я рядом с ней, но мы больше не разговаривали, в то время я училась в школе, занималась своими школьными делами и дочерью. Когда мы оба приехали в дом, мне стало казаться, что я живу с совершенно чужим человеком, мы постоянно находились в обороне, я постоянно злилась на нее, я не могла ее терпеть, я искала побеги, которые заключались в уходе из дома, и когда она была дома на неделе, я ходила в кино, на выходных я гуляла с друзьями, я приехала в воскресенье и проспала весь день, потому что у меня было похмелье и бессонница с предыдущего дня. В дополнение к недомоганиям матери я предпочитал оставаться в своей комнате весь день в воскресенье, даже после обеда я ходил с бабушкой и дедушкой есть до поздна; меня забирали друзья, мы ели мичеладу, они отвозили меня домой, я ложился спать, чтобы наступил понедельник, и продолжал жить обычной жизнью.

Теперь я знаю, что я напивался, потому что по четвергам я ходил пить с друзьями, я не напивался, но я чувствовал пустоту, чего-то не хватало, и хотя меня окружали люди, которые поддерживали меня в дружбе, или мои дедушки и дяди говорили со мной, я чувствовал, что чего-то не хватает в моей жизни, потому что я не был счастлив; и это была моя жизнь с шестнадцати лет до девятнадцати, потерянная, и я говорю потерянная, потому что теперь я знаю, что я только тратил свое время в глупости, только вредил себе. Однажды, я помню, я согласилась поехать на духовный ретрит с группой друзей, и это была такая большая потребность встретить Бога, найти ту любовь, в которой я нуждалась, потому что я говорила, что верю в Бога, но только сквозь зубы, потому что я не чувствовала его и у меня никогда не было встречи с ним, или из-за идеализации, которую моя бабушка сказала мне, чтобы я верила, что Бог любит меня, но я не знала его, я даже не знала, кто он такой. И с тех выходных, когда я поехала на ретрит, моя жизнь изменилась, я нашла то, что всегда искала, тот мир и гармонию, которые мне не мог помочь найти ни один психолог. Все было процессом, который я открывал для себя, мы встречались каждую субботу в молодежной группе.

Я помню, что сначала отправила на этот ретрит папу, потом маму со взрослыми и, наконец, брата с молодежью. Я не могу найти объяснения Божьим совершенным планам, и многие говорят, что я сумасшедшая, но это неважно, потому что я сумасшедшая и счастлива с Богом. Потому что я знаю, что Он сделал в моей семье, моя семья - живое свидетельство Божьей любви, потому что все было совершенной частью Его работы по возвращению нас вместе, потому что мои родители не выдержали испытаний в своем браке и сдались в борьбе, и я говорю это, потому что знаю, что на самом деле они никогда не переставали любить друг друга, я помню, что я говорила им снова пожениться и искать партнера, но ни один из них не хотел, мой папа сказал, что не может забыть мою маму, и она в свою очередь тоже не могла.

После этого ретрита мои родители начали разговаривать, и через несколько месяцев мы вчетвером пошли на терапию, чтобы исправить нанесенный ущерб, но ни одна из терапий не сравнилась с упражнениями, сделанными на том ретрите. Я не говорю, что терапия была плохой, но мы уже завершили всю боль, которая была связана с моим подростковым возрастом.

Мои родители продолжали ходить на брачные беседы вместе, и через год, однажды вечером, помню, они усадили нас с братом поговорить, когда рассказали нам о подготовке к свадьбе. Мой брат повернулся и посмотрел на меня, я обняла его, и мы заплакали так, как не плакали вместе уже много лет. Это был один из самых прекрасных моментов, которые я помню, когда видела Божью любовь в своей семье.

Этот опыт помог нам стать более сплоченными, чем когда-либо. Я бы не стал заканчивать писать все благословения, которые есть у меня сейчас, в этот конкретный момент, я очень счастлив, и прежде всего сейчас я могу сказать, что у меня есть духовная стабильность, эмоционально мне это очень нравится.

Системный масштаб и преимущества

Персональная система

Личность, по мнению теоретиков, понимается как те характеристики, которые отличают человека, то есть его особые качества. Личное относится к тому, что является особенным, присущим и характерным для кого-то, в этом смысле обе концепции совпадают в характеристиках и качествах, которыми обладает человек; однако возможно, что есть некоторые условия, которые человек имеет с самого начала, а другие развиваются, следовательно, это имеет очень тесную связь с развитием самого себя, и в этом же смысле эта эволюция включает в себя измерения физического, физиологического, когнитивного, морального, социального и т.д. роста.

Чтобы укрепить личность, нужно жить, а чтобы жить, нужно существовать, что подразумевает наличие жизни, реальность и истинность. Эта концепция существования, которая заключается в том, чтобы быть реальным и истинным, чтобы воздвигнуть индивидуальность и тем самым закрепить личность, очень труднодостижима, в основном потому, что, согласно Альберту Бандуре[88] , модели семейного и социального поведения приобретаются путем подражания. Согласно этому тезису, многие модели поведения усваиваются путем наблюдения, для чего субъект сначала наблюдает, затем сохраняет в памяти то, что наблюдал, затем воспроизводит это, и когда он получает внешний тип подкрепления, у него появляется мотивация, и таким образом создаются модели или модели поведения. Бандура предположил, что среда вызывает поведение, что верно, но также и поведение вызывает среду. Эта двусторонность влияний была определена как взаимный детерминизм: ведь мир и поведение человека дополняют друг друга.

Реципрокный детерминизм также известен как радикальный бихевиоризм, поскольку он сводит человека к простому воспроизведению поведения, не учитывая его когнитивные способности; однако позже тот же автор провел ряд исследований и начал рассматривать личность субъекта как взаимодействие трех основных элементов - среды, поведения и психологических процессов человека. Эти процессы заключаются в способности хранить образы в сознании и в языке. С того момента, как он рассматривает воображение. Он перестает быть радикальным бихевиоризмом и начинает рассматривать познание человека.

Это основной аспект[89] данного раздела. Несмотря на то, что значительная часть моделей поведения исходит от окружающей среды, наступает момент, когда субъект находится именно на пути к индивидуальности и постепенно принимает установки, которые больше соответствуют его сущности, и в этом же русле постепенно уходит от моделей поведения, которые не соответствуют его личности. Таким образом, основная задача развития личностной сферы заключается в том, чтобы быть и действовать в соответствии со своей собственной природой, а не с окружающей средой, которая, хотя и является частью окружающей среды, не является динамичной, как человек, который действительно очень занят, поэтому такое состояние наделяет его множеством обязанностей, так как он обязательно будет погружен в многочисленные виды деятельности, которые позволяют ему чувствовать себя полезным и продуктивным; Тем не менее, иногда эти же ежедневные дела вовлекают его в такой уровень динамизма, что в итоге отвлекают его от личных потребностей. Тем не менее, для его оптимального роста и развития необходимо выделять время для себя, этот поступок больше, чем признак безответственности, является признаком любви к себе, и нет лучшего способа показать эту признательность, чем забота о себе. Такая забота о себе предполагает баланс между тремя очень специфическими аспектами: физическим, ментальным и игровым. В физическом аспекте следует учитывать две взаимодополняющие привычки: первая относится к ежедневному питанию, а вторая - к физической активности.

Питание, в свою очередь, включает в себя качество и количество съеденного, а также время приема пищи. В просторечии это означает: что и сколько вы едите, и в какое время вы это едите. Часто большое внимание уделяется качеству и количеству потребляемой пищи, полагая, что этого достаточно для того, чтобы иметь хорошие пищевые привычки; Однако время приема пищи также имеет большое влияние, и этому уделяется очень мало внимания, а ведь с физиологической точки зрения отсутствие пищи в организме заставляет базальную пищеварительную систему работать в отсутствие пищи, что приводит к повышению pH

---

[88] Бандура А. 1963 (Idem)
[89] Главный или обладающий наибольшей силой и энергией в каком-либо понятии (http://buscon.rae.es/draeI)

желудка, В результате слизистая желудка изменяет свой уровень кислотности и, как следствие, возникает гастрит, то есть воспаление слизистой желудка. Постоянное воспаление может привести к более серьезным изменениям, которые могут отразиться на всем пищеварительном тракте, вызывая системный дискомфорт.

Таким образом, правильное питание в нужное время и в нужном качестве - это именно та предпосылка, которая должна быть достигнута, чтобы проявить заботу о себе и, следовательно, самоуважение. Теперь, когда осознание пищевых привычек достигнуто, необходимо рассмотреть вопрос о физической активности. Понятие физической активности включает в себя двигательную активность, поэтому двигательная задача - это набор действий, которые приводят человека к выполнению определенного движения и которые также являются явными, т.е. наблюдаемыми. Двигательная задача включает в себя взаимосвязь таких элементов, как: восприятие, решение, выполнение и обратная связь.

Это означает, что в значительной степени от восприятия субъектом физической активности зависит, будут ли они заниматься ею, недостаточно того, что они хотят заниматься, они также должны учитывать, как они представляют себя по отношению к выбранной активности, этот момент тесно связан с решением, если человек решает начать физическую активность с собственной компетенции; то есть, оценив свои двигательные навыки, будет легче принять решение о частоте выполнения, и это также повлияет на его душевное состояние.

К внутренним факторам, влияющим на освоение двигательных заданий, относятся, в частности, когнитивные, вербальные, двигательные и перцептивные атрибуты, связанные с физической активностью. Следовательно, целью является физическая работоспособность, а еще глубже - овладение определенными задачами, и такое поведение становится очевидным, поскольку оно соответствует следующим критериям:
- Упражнение дает очевидный результат
- Можно оценить эффект по его качеству или количеству
- Упражнения могут быть как очень сложными, так и очень легкими.
- Должен существовать стандарт сравнения, соответствующий нормативному значению.

- Действие субъекта должно быть намеренным

Как видите, физическая активность влияет не только на тело, но и на настроение, ведь выброс эндорфинов, в свою очередь, повышает уровень серотонина, а вместе с этим настроение становится более восприимчивым и оптимистичным.

Наконец, игривость связана со способностью придать ощущение игривости самой физической активности; то есть сама активность будет лишь средством для выражения признательности самому себе, она никогда не будет самоцелью. Это подразумевает установление треугольных отношений между тем, что человек делает, что ест и чем наслаждается, как функции самооценки для развития заботы о себе, а значит, и личностного развития.

Семейная система

Королевская академия испанского языка определяет слово "семья" как группу людей, которые состоят в родстве друг с другом и живут вместе. Люди делят одно и то же пространство и в то же время обладают общими кровосмесительными чертами, что дает им возможность быть связанными. Для создания семьи необходимо, чтобы два человека разного пола решили соединить свои жизни, а потому отпраздновали либо религиозную церемонию, называемую венчанием, либо юридический договор, называемый гражданским браком. В обоих случаях есть люди, которые служат свидетелями этого союза, и люди, которые имеют право признать его действительность: первые называются пресвитерами, а вторые - судьями. Этот союз называется браком, и именно с него начинается семья. Семья - это основная форма организации человека, и значительная часть ценностей, моделей и установок приобретается в семье. Впоследствии они развиваются на социальном уровне.

Можно сказать, что в семье происходят три социальных процесса, способствующих развитию личности, которые связаны с близостью, экспозицией и знакомством. В первом из них, называемом близостью, осваиваются четыре зоны личного пространства Холла (1959), которые описывают просемический характер межличностных отношений, состоящих из интимной, личной, социальной и публичной зон.

Первая область, где происходит интимный межличностный контакт, - это супружеская пара, то есть пара разделяет интимное пространство, куда дети не имеют доступа, но где им позволено взаимодействовать в их личном пространстве, где происходят объятия, поцелуи и любые другие формы выражения признательности или даже дискомфорта; в этой же области возможно, что все члены семьи принимают этот же тип взаимодействия; На самом деле, могут быть семьи, в которых этот тип контакта не осуществляется из-за определенных религиозных убеждений или даже предыдущих родительских моделей; тем не менее, большая часть населения предполагает, что в семье можно выразить признательность посредством телесного контакта в личной зоне. В социальной зоне, как следует из ее названия, физический контакт менее выражен и преобладает реляционный контакт, что означает, что в этом типе отношений расстояние между людьми составляет от 120 до 360 сантиметров. Это означает, что во взаимодействии присутствует близость при меньшем контакте, и, наконец, в общественной зоне отношения более отдалены от телесности и осуществляются с людьми, которые не имеют большого отношения к себе.

Однако еще один фактор, способствующий социальному развитию, тесно связан с контактами в личной сфере, то есть постоянный контакт с членами семьи приводит к постоянному воздействию, в результате которого возникает опыт знакомства.

Эти виды человеческих проявлений не только удовлетворяют потребность в контакте, но и приносят психологическую пользу, которая выражается в чувствах безопасности, привязанности и принятия; следовательно, эти чувства могут способствовать развитию адекватной Я-концепции и, возможно, адекватной самооценки.

Главное благо, которое дает семья, - это ценности, своего рода качества, которые придают человеку достоинство и позволяют развивать определенную деятельность. Ценности - это принципы, которыми мы руководствуемся в своем поведении, чтобы реализовать себя как личность. "Это фундаментальные убеждения, которые помогают нам предпочитать, ценить и выбирать одни вещи вместо других или одно поведение вместо другого. Они также являются источником удовлетворения и самореализации".

Ответственность, пунктуальность, доброта, истина, красота, счастье и добродетель - вот некоторые из проявлений этих ценностей; однако критерии, по которым им присваивались те или иные значения, с течением времени менялись. Ценности имеют полярность, человек может быть одновременно ответственным и безответственным, посмотрим: молодой человек может быть очень ответственным в выполнении домашних заданий, но безответственным в отношении членов собственной семьи, или быть очень пунктуальным в посещении занятий и непунктуальным на общественных мероприятиях, а иногда ценности могут даже смешиваться, как в случае солидарности между одноклассниками в подготовке к экзамену, студент, который подготовился к экзамену должным образом, решает поддержать в знак солидарности одноклассника, который не готовился и не отвечает на экзамене, этим действием его собственная ответственность усиливает безответственность его одноклассника.

Очень важный момент, касающийся ценностей, заключается в том, что их желательно моделировать. Именно родители своим поведением показывают детям важность ценностей. Ведь говорят, что ценностям не учат, их показывают, а значит, родители уже прививают ценности, просто уважая индивидуальность своих детей. Таким образом, семья сможет обеспечить своим членам достаточную эмоциональную безопасность, чтобы они могли развивать свою индивидуальность. Но для этого очень важно, чтобы все члены семьи были организованы и распределяли обязанности равномерно и в соответствии с возрастом своих членов, так как польза от этих действий постепенно отразится и на других сферах развития человека.

Ответственность - это не только способность брать на себя физические действия по выполнению конкретных задач и выполнять их должным образом. Она также связана с обязательством перед самим собой в плане признания собственных потребностей и их своевременного удовлетворения. Пример этого очень часто встречается в университетской среде и связан с потребляемой пищей. Я имею в виду не количество, а скорее качество и время приема пищи. Зачастую многие студенты не соблюдают физиологический график приема пищи, из-за чего у них происходят изменения в работе желудочно-кишечного тракта, которые рано или поздно приводят к более серьезным проблемам. Причина такого поведения заключается в том, что они ответственны в академическом плане, но безответственны по отношению к собственной персоне. Еще одна ценность, которая приобретается в семье и проявляется на социальном уровне, связана с толерантностью.

Толерантность подразумевает уважительное отношение к людям, идеям, убеждениям или практикам других людей, если они отличаются или противоречат собственным. Обычно в семье существуют различия в идеях или убеждениях между ее членами, в некоторых - предпочтения определенных тем, вкусов, команд, политических партий или вкусов к определенным телевизионным программам, то есть в одной семье может быть много разнообразия между ее членами, что позволяет самой семье функционировать как лаборатория проб и ошибок для развертывания толерантности. В этом же смысле толерантность расширяется, а уважение проявляется именно как продукт толерантности. Уважение характеризуется принятием другого, поэтому, когда член семьи придерживается установленных норм, он проявляет своего рода почитание или соответствие установленным образцам поведения в семье.

Соблюдая правила, которыми руководствуется человек, он проявляет принятие, признательность, привязанность, любовь, ответственность и терпимость, то есть заявляет о себе как о человеке, чутком к другим и к самому себе. Постепенно это формирование ценностей будет расти и сможет распространиться на все сферы, где сосуществуют люди; теперь действовать и быть личностью с ценностями не только позволяет ему гармонично двигаться и общаться с людьми, но и делает его достойным и позволяет ему чувствовать гордость и уверенность в себе.

Лучший способ начать процесс роста в этой области - узнать и признать ценности, преобладающие в собственной семье, для этого необходимо взять на себя ответственность в этой организации, а вместе с этим проявить ответственность, признательность, привязанность, уважение и терпимость по отношению к себе и другим.

Аффективная система

Эта часть человеческого существа связана со страстями ума, а последние относятся к принципу человеческой деятельности, который подразумевает наличие мужества и стремления к чему-то или кому-то, а также подразумевает наличие намерения и проявляется в решении заниматься или думать о чем-то конкретном. Оно также относится к каждой из страстей ума, таких как гнев, любовь, ненависть и т. д., и особенно к любви или привязанности. Дэн Миллман[90] , в частности, утверждает: "Неважно, насколько человек умен, привлекателен или талантлив, но степень, в которой он сомневается в своих достоинствах, как правило, саботирует его собственные усилия и подрывает его отношения с другими людьми. Жизнь полна даров и возможностей, нужно только открыть себя, чтобы получить их и насладиться ими, и так будет до тех пор, пока человек не начнет ценить свои врожденные достоинства и не начнет оказывать себе такое же сострадание и уважение, какое он оказывал бы другим. Это открытие самоценности, скорее всего, проявится в свободном духе, не боящемся свободы". Тот же автор проводит различие между самооценкой и самооценкой: первую он связывает с уверенностью в себе, а самооценку - с самоуважением. Это подразумевает принятие и уважение того, что есть, что часто бывает трудно совместить, особенно молодым людям, поскольку они склонны идеализировать других, а не себя. Важно не путать самоуважение с эголатрией. В первом случае преобладает видение себя, привязанное к реальности и осознающее свои достоинства, зная, что в этой же пропорции у человека есть и недостатки, которые, вместо того чтобы позорить человека, обладающего ими, работают как катапульты, побуждающие его к самосовершенствованию. С другой стороны, эголатия проявляется в культовом поведении, обожании и чрезмерном самолюбовании; эта же переоценка не позволяет эгоманам негативно наблюдать за собой.

Мне не раз приходилось наблюдать моменты, когда студенты университета буквально страдают, когда их просят выступить перед своей группой. Это поистине удивительно, как из замечательных студентов они превращаются в слабонервных[91] ; причина такой внезапной перемены в том, что они склонны очень легко сомневаться в себе. С одной стороны, они сомневаются в своей способности к усвоению материала, с другой - не уверены в своем выступлении, и после неудачной презентации часто испытывают разочарование в себе из-за плохой презентации. После этого события молодой человек обычно обесценивает себя и не принимает во внимание, что его когнитивные ресурсы находятся в идеальном рабочем состоянии и что то, что произошло на самом деле, связано с тем, что он не развил разоблачительные ресурсы, которые не имеют ничего общего с интеллектуальными способностями; однако он, скорее всего, не осознает этого, с другой стороны, он может впасть в излишества, которые включают возможную самооценку, вызывая дискомфорт по отношению к себе, вплоть до самоуничижения. Поэтому важно ценить свою врожденную ценность и проявлять к себе такое же сострадание и уважение, как и к другим. Сострадание и уважение к себе - лучший способ начать развитие аффективной сферы, а для этого необходимо научиться различать те способности, которыми человек обладает, и распознавать ограничивающие, которые именно таковыми и являются, то есть это способности, которыми человек не обладает, но которые он может развить, Важно знать, в чем заключаются эти ограничения, и таким образом инициировать действия по созданию или развитию ресурсов для решения повседневных задач. Незнание чего-то или наличие ограничений в каком-то вопросе не делает человека глупцом, нужно лишь признать некомпетентность и, по возможности, посмотреть ей в лицо, зная, что любая некомпетентность может стать плодородной почвой для развития эффективности, а не для умиления самооценкой. Эти простые действия, заключающиеся в осознании своей сущности и признании собственных ограничений, - лучший способ научиться состраданию и уважению к себе. Еще один ресурс, который можно включить в этот раздел, связан со способностью выражать и желать привязанности. В разделе о семье мы говорили о важности семьи в развитии человека, особенно в том, что касается ценностей, так вот, выражение и желание привязанности - это часть этих ценностей, и поэтому их необходимо учитывать, чтобы адекватно развиваться в

---

[90] Миллман Д. 1998 (*Повседневное просветление: двенадцать путей к личностному росту*).
[91] Не хватает мужества, чтобы терпеть несчастья или пытаться совершить великие дела. (http://buscon.rae.es/draeI)

этом феноменологическом процессе, называемом жизнью.

Несмотря на то, что семья является важной частью социальной организации человека, она не лишена некоторых недостатков. Отношения между отцом, матерью, братьями и сестрами обычно являются постоянными в семье, поэтому между членами семьи могут возникать союзы или ссоры, которые благоприятствуют или ограничивают проявления привязанности между ее членами, из-за постоянного реляционного контакта между ее членами могут возникать разногласия, поэтому могут возникать расхождения в способах совместной жизни, следовательно, меняться способы выражения привязанности, в некоторых случаях семейные конфликты могут стать настолько серьезными, что не вызывают никаких проявлений привязанности, вплоть до того, что братья и сестры или даже родители даже не разговаривают друг с другом. Последствия этого отразятся на семейной атмосфере, которая будет некомфортной и напряженной для всех в доме, и это может привести к тому, что настроение членов семьи станет менее сердечным, что уменьшит проявления привязанности. Конечное следствие такой семейной атмосферы отразится на остальных сферах развития, и поэтому будет трудно добиться необходимого поощрения и мотивации, чтобы справляться с повседневными требованиями. По этой причине я хотел бы предложить читателю следующий ресурс, который призван помочь определить тип близости, которую человек испытывает к членам семьи, и установить своего рода шкалу роста на аффективном уровне.

Эта шкала состоит из четырех уровней близости, которые начинаются с того, как человек способен идентифицировать себя с другими, и в этом же направлении может разделять чувства или ощущения от близких и интимных, до не разделяющих даже пространства, не говоря уже о каком-либо диалоге.

Описание родственных связей

H.A. = Высокое сродство	
	Эта близость характеризуется потребностью делиться личными и даже интимными событиями, которые имеют отношение к человеку и важны для него самого.
A.M. = Среднее сродство	
	Эта близость характеризуется потребностью делиться личными событиями.
A.B. = Низкое сродство	
	Эта близость характеризуется тем, что они делят только пространство дома, и может характеризоваться несущественными разговорами без глубокого личного диалога.
N.A. = Null Affinity	Эта близость характеризуется тем, что между ее членами нет никаких отношений, они не разделяют ни пространства, ни диалога.

После того как описание привязанностей сделано и человек полностью осознает, что шкала привязанностей измеряется в соответствии с тем, как он чувствует близость с другими, то есть это делается таким образом, потому что только он может знать истинную близость, которую он испытывает ко всем членам своей собственной семьи.

Аффективный рост и шкала измерения

Уровень сродства	Папа Римский	Мама	Brother	Пациент	Сестра	Сестра
A.A.						
A.M.						

A.B.				▓		
A.H.				▓		

Шкала аффективного роста и измерения Рисунок F4.2

Цветная область обозначает, кто выполняет упражнение, и в данном случае видно, что пациентка - вторая дочь в порядке убывания, старшая из сестер и делит семейное пространство с обоими родителями, братом и двумя сестрами.

Следующий шаг - индивидуальная оценка уровня близости с разными членами семьи. После того как оценка проведена со всеми членами семьи, шкала анализируется, и становится ясно, с кем у человека хорошая близость, а с кем необходимо предпринять действия, чтобы повысить эффективность отношений между членами семьи.

После этого показаны выводы и масштабы, которые можно получить при использовании этой шкалы. Шкала была использована молодым студентом университета, и можно отметить, что она включает в себя очень конкретные действия по повышению уровня близости между членами семьи и даже распространяет свое действие на дружбу и отношения знакомства.

Аффективный рост и шкала измерения

Уровень сродство	Мама	Брат 1	Sibling2	Брат и сестра 3	Пациент	Бойфренд	Друг
A.A.		J				J	J
A.M.	J						
A.B.			J	J			
A.H.							

Описание родственных связей

H.A. = Высокое сродство	Я всегда хочу поделиться
A.M. = Среднее сродство	С некоторыми вещами я согласен, но некоторые личные вещи - нет.
A.B. = Низкое сродство	Я разделяю только пространство
N.A. = Null Affinity	Я не согласен ни с чем.

Мама A.M:

Я хорошо лажу с матерью, мы много разговариваем и смеемся; но я отношу ее к средней категории близости, потому что, хотя я ей доверяю, я не могу рассказать ей обо всем, что со мной происходит; скажем так, мои отношения с ней складываются больше, когда мы оба счастливы, но когда мне плохо и я по какой-то причине грущу, я почти никогда не говорю об этом с ней, помимо того, что она не очень демонстративно проявляет привязанность и не выражает свои чувства; Другие вещи, о которых я не осмелилась бы ей рассказать, - это проблемы в отношениях с моим парнем и гораздо меньше о сексуальности в моих отношениях.

Брат 1 А.А:

У меня три брата, и этот брат - единственный, с кем у меня большая близость. Он младше меня, но наши отношения - не "я взрослая сестра, и ты должна делать то, что я говорю", а равные, мы оба очень доверяем друг другу и говорим друг другу вещи, о которых не решаемся говорить с другими членами семьи. Мне очень нравятся наши с ним отношения, потому что я знаю: какое бы решение я ни приняла, он всегда будет рядом со мной, а я всегда буду рядом с ним.

Брат 2 А.В:

Этот брат старше меня, с ним я считаю, что у меня мало близости, потому что на самом деле, хотя мы живем в одном доме, мы разделяем только это, "дом", он и я очень разные, я думаю, абсолютно. Иногда я пыталась что-то сделать, чтобы лучше общаться, но чувствовала, что он не позволяет мне этого, и даже тогда я продолжала попытки. Он берет на себя роль "я самый большой из братьев и сестер, живущих в этом доме, поэтому я лидер, и все, включая мою мать, должны подчиняться моим словам", вместо того чтобы внушать доверие, это пугает, и он не дает вам свободного пространства, чтобы иметь возможность комментировать многие вещи, потому что я чувствую, что он рассердится, отругает меня, и мы снова будем ссориться, как всегда; поэтому иногда я перестаю настаивать на своем поведении, чтобы иметь больше "общения" с ним.

Брат 3 А.В:

Моя близость с этим братом низкая, но не потому, что у нас плохие отношения, а из-за внешних по отношению к нам обстоятельств: он уехал в США работать, живет с дядями со стороны отца. Он звонит каждую неделю, но обычно с ним разговаривает только моя мама, я редко с ним разговариваю, и не потому, что не хочу, а потому, что сплю или меня нет дома, но когда я с ним разговариваю, у нас обоих хорошие отношения.

Бойфренд А.А:

С моим партнером у меня прекрасное общение и большое доверие, я могу рассказать ему обо всем, что произошло со мной за день, без страха или опасения, что он может меня раскритиковать, рассердиться или отругать; с ним я очень прозрачна, я выражаю свои радости, страхи, гнев, печаль, разочарования, обиды и бесчисленные ситуации и чувства.

Друг А.А:

Мы с ней очень хорошо ладим, у нас много общего и вкусов, иногда я чувствую себя старшей сестрой, которая заботится о ней, и именно так я воспринимаю ее, как сестру, с которой я могу поделиться всем, что со мной происходит, и она рассказывает мне многое, когда я с ней, я могу выразить себя такой, какая я есть, и часами говорить на бесчисленные темы, обмениваясь мнениями, и, естественно, мы часто расходимся во мнениях, но даже в этом случае мы уважаем разные точки зрения.

Единственный человек, с которым я хотел бы сделать еще одну попытку увеличить близость, - это мой брат 2, но не мама, потому что я знаю, что не решусь признаться ей во многих интимных вещах.

Действия, которые я совершаю вместе с братом 1 А.А.	Действия, которые я совершаю с братом 2 А.В.
Игра "Лучитас	Я рассказываю анекдоты
Я рассказываю анекдоты	Иногда мы выходим
Я смотрю телепередачи, которые ему нравятся	
Я спрашиваю, как у него дела в школе.	
Я рассказываю о том, какие у него есть друзья и как он с ними ладит.	
Мы отправляемся на прогулку вместе	
Он сопровождает меня в те места, куда я хочу попасть.	

И на самом деле я не собиралась ничего вписывать в брата 2, а только то, что я могла бы спасти, поскольку, как я уже говорила, я уже предпринимала несколько попыток улучшить отношения с ним, но всегда получала один и тот же результат. И анализируя сейчас, когда я составляю список действий, я начинаю верить, что это будет тот же результат, что и в предыдущих случаях, но я все равно предприму попытку. Я пыталась быть более открытой с ним, но он всегда видит во мне младшую женщину, маленькую девочку, о которой я должна заботиться, вместо того чтобы считать меня только своей сестрой. Он взял на себя роль, о которой я не просила, но в силу обстоятельств он решил взять ее, роль отца подходит ему очень хорошо, потому что он очень доминантен и манипулятивен, но с тех пор как я себя помню, у меня были проблемы с ним, сильные ссоры, что я даже была вынуждена уйти из дома; Тогда я начинаю думать о том, что происходит, потому что я не могу иметь с ним хорошие отношения, потому что я пытаюсь и пытаюсь снова, и я только чувствую, что он не заинтересован, и что, возможно, его устраивает то, как у нас складываются отношения; но теперь, что мне делать, чтобы успокоить эту потребность ладить с ним или как мне принять этот факт. Я могу сказать, что я бы поговорила с ним о его работе, но я пытаюсь больше общаться, а он отвечает: "Почему тебя это волнует, не говори так, не произноси это слово, это звучит плохо, сядь, я всегда прав", и почему я продолжаю с ним разговаривать? И почему я продолжаю, мне трудно с ним разговаривать, он очень властный, он всегда прав, и я никогда не могу его переспорить.

Но я перечислю, что можно сделать, чтобы это сработало:

- Старайтесь говорить о своей работе, личной жизни и любых проблемах, которые у вас могут возникнуть.
- Быть собой, несмотря на то, что он говорит.
- Не принимать за чистую монету то, что он мне говорит.
- Видя ситуацию, в которой вы оказались, попытаюсь поставить себя на ваше место и посочувствовать.
- Найдите общие темы, которые интересуют нас обоих, и организуйте общение на этой основе.
- Спросите, как он/она себя чувствовал/чувствует и не нужно ли ему/ей что-нибудь.

Я не знаю, сработает ли это на самом деле, но я могу попробовать в последний раз, потому что я действительно хочу перемен в этих отношениях.

Социальная система

Обращение к социальному предполагает рассмотрение общества, а оно, в свою очередь, подразумевает некое товарищество, общество и союзы; из этого следует, что для начала социального развития необходимо сопровождение, то есть союз с другими людьми, в той или иной степени совпадающими по интересам, которых необходимо достичь; сам факт пребывания или разделения пространства побуждает людей к развертыванию товарищества. Социализация - неотъемлемая предпосылка человека, поскольку все люди обладают стайными качествами, что приводит к тому, что они становятся частью социальных групп или формируют их. Первичные ресурсы или навыки приобретаются в семье происхождения, в этом ядре человеческого развития формируются формы взаимоотношений, в некоторых случаях различные семьи предоставляют много ресурсов, чтобы субъект был адекватно включен в социальный контекст, но в других случаях достигнутые ресурсы недостаточны или неадекватны, и это само по себе ограничивает гибкое вторжение в социальную плоскость.

Если мы осознаем и примем значимость социализации и, прежде всего, придадим этому занятию личностную значимость, то увидим, что социализация - это не просто поиск, а потребность, которую нужно закрепить, потому что в самом процессе социализации достигаются большие преимущества, которые так или иначе влияют на другие сферы личностного развития. Социализация эквивалентна отношениям с другими людьми, а для этого необходимо использовать собственные ресурсы; одним из них является способность к общению, которая, как уже говорилось в разделе о коммуникации, включает в себя множество аспектов когнитивного и перцептивного характера. Аналогичным образом было установлено, что общение предполагает мышление, структурирование, воображение, аргументацию, то есть общение с другими людьми способствует развитию когнитивных и социальных компетенций.

Эти компетенции усиливаются по мере увеличения реляционного ореола, это похоже на то, как если бросить камень в реку, то в месте падения камня образуется круг, который в свою очередь порождает еще больший круг и так далее, пока он не охватит большую часть, поскольку именно это и называется реляционным ореолом, субъект начинает диалог с кем-то, и этот человек встречает другого человека, который вовлечен в диалог, и так постепенно, пока не включится большое количество знакомых. Этот реляционный феномен усиливает способность коммуникатора знакомиться с разными способами мышления, спорить, действовать, решать, любить и т. д. Это увеличивается в геометрической прогрессии, что выливается в социальные компетенции, которые впоследствии пригодятся в других сферах, таких как образование и трудоустройство.

Несмотря на то, что эти личные преимущества могут быть получены, многие люди предпочитают не вступать в социальную сферу, и причины такого решения могут быть осознанными или неосознанными. Осознанными они становятся тогда, когда люди, уже побывавшие на встречах или в группах и не сумевшие почувствовать себя комфортно и интегрироваться, решают отказаться от продолжения отношений, для чего используют огромное количество аргументов, которые вместо объяснения причин служат личным оправданием и даже доходят до крайности - очерняют ситуации или людей.

Однако они могут быть неосознанными, если ранее не участвовали в собраниях или группах, но решили не участвовать в мероприятиях, связанных с личными отношениями.

В обоих случаях (сознательном и бессознательном) это происходит, вероятно, потому, что у людей не развиты социальные навыки. Но для того, чтобы разобраться в этих навыках, мы должны сначала установить само определение, которое, согласно Мейхенбауму, Батлеру и Грудсону[92] (1981), утверждает, что невозможно установить последовательное определение социальной компетентности отчасти из-за меняющейся социальной среды, позже добавляя, что: "социальные навыки должны рассматриваться в определенных культурных рамках, а модели общения сильно различаются в разных культурах и внутри одной культуры, в зависимости от таких факторов, как возраст, пол, социальный класс и образование". Как видно из этой цитаты, необходимо учитывать несколько факторов, которые непосредственно связаны с социальными навыками, в этом смысле, например, в государственном университете собираются самые разные студенты, приехавшие из разных регионов и, следовательно, с самыми разными обычаями, поэтому установление социальных отношений в этом контексте действительно способствует большому личностному росту с последующими социальными навыками.

Тем не менее, значительная часть студентов, которые попадают в эти учебные центры, решают не пользоваться этими естественными преимуществами, вместо того, чтобы стремиться общаться со всеми одногруппниками в группе или в университете, они предпочитают общаться только с некоторыми, таким образом, они становятся избирательными студентами, которые живут только с теми, у кого совпадают общие интересы, и даже не осознавая этого, они упускают большие возможности для социального развития, которые впоследствии очень пригодятся им, когда они выйдут на рынок труда.

Однако избирательность в социальных отношениях может быть не столь уж негативной, поскольку эта особенность может даже помочь уберечься от встреч с людьми, интересы которых могут сильно отличаться от собственных; таким образом, человек обычно использует свою интуицию для установления контактов с другими людьми. Однако при сохранении

---

[92] Э. Кабальо В. 1991 (*Руководство по методам терапии и модификации поведения*)

дружеских отношений существует риск сохранения прежнего уровня отношений, а не развития социальных навыков, и может случиться так, что поведение, которое считается уместным в одном контексте, не будет уместным в другом, или что студент привносит в ситуацию свои собственные установки, ценности, убеждения, когнитивные способности и принимает один стиль отношений, полагая, что все мы знаем, что такое социальные навыки, и что они были усвоены интуитивно. Из-за этого многие студенты не осознают важности ежедневного сосуществования в университетской аудитории; именно в этой естественной обстановке можно отрепетировать многие просоциальные модели поведения, это что-то вроде лаборатории, прекрасно оснащенной всеми необходимыми элементами для того, чтобы субъект мог испытать установки и модели поведения, которые в определенный момент будут очень полезны во всех сферах, с которыми он/она связан. Именно поэтому поразительно, что большинство студентов университета не осознают такого богатства и вместо этого значительно сокращают радиус дружеских связей, а значит, и свой собственный рост.

Область социальных отношений настолько обширна, что ей стоит посвятить целый трактат. Это заставило бы нас покинуть тематический курс, ранее намеченный для развития этой книги, и не достигло бы главной цели, которая заключается лишь в том, чтобы показать некоторые положительные и отрицательные последствия развития социальной сферы, для чего я позволю себе раскрыть некоторые измерения социальных навыков, которые были изучены в испанских субъектах именно испанскими исследователями (Caballo 1989; Caballo and Buela 1988[a] ; Caballo, Godoy and Buela 1988; Caballo and Ortega 1989). Они предлагают следующие измерения, которые свидетельствуют о достаточном развитии социальных навыков.

- Инициирование и поддержание разговоров
- Публичные выступления
- Выражение любви, симпатии и привязанности
- Защита своих прав
- Просить об услугах
- Отказ в просьбах
- Делать комплименты
- Принятие комплиментов
- Выражение личного мнения, включая несогласие
- Оправданное выражение раздражения, недовольства или гнева
- Извиниться или признать свое невежество
- Просьбы об изменении поведения другого человека
- Справиться с критикой

Как видно из этих измерений поведения, многие студенты, вероятно, будут очень искусны в некоторых видах поведения, но только в определенных условиях, например, очень экстравертны и искусны в семье, но в других условиях они могут быть несколько интровертны и ограничены. Таким образом, развитие социальной сферы фокусируется на развертывании способности к такому поведению в большинстве сценариев, в которых находится студент. В некоторых из них можно достичь большой личной эффективности, но в других в данный момент может быть очень трудно и сложно достичь такой эффективности, главное - полностью осознать, что это за измерения, и установить для себя цели радиального развития, чтобы достичь социальной эффективности в большинстве областей человеческого существа.

Академическая система

Основная поддержка этого раздела направлена на академический аспект, который, как предполагается, уже высоко развит у студентов университета, особенно на когнитивном уровне. На данном этапе своей академической жизни студенты продвинулись не только в когнитивной сфере, но и развили этические и моральные компетенции, поэтому значительная часть университетского населения находится на четвертой, пятой и шестой стадиях морального развития, согласно теории Лоренса Кольберга (1968); Эта теория предполагает три уровня морального развития и шесть стадий, первые три достигаются в первые годы жизни, остальные закрепляются по мере взросления человека, в данном случае нас интересует четвертая стадия, которая характеризуется способностью студента представлять себе социальную систему и в то же время осознавать ее. Они знают и признают, что такое закон и порядок, и на этой стадии способны представить себе социальную систему, определяющую индивидуальные роли и правила социального поведения.

Индивидуальные отношения рассматриваются с точки зрения их места в социальной системе, и они способны дифференцировать межличностные соглашения и мотивы с точки зрения общества или социальной группы, взятой в качестве эталона. Следующий этап начинается с перспективы, предшествующей общественной, - с перспективы рационального человека, имеющего ценности и права, предшествующие любым социальным договорам или связям. Различные индивидуальные перспективы интегрируются с помощью формальных механизмов соглашения, контракта, справедливости и юридической процедуры.

А на шестом этапе достигается правильная моральная перспектива, из которой вытекают социальные соглашения. Это точка зрения рациональности, согласно которой каждый разумный человек признает категорический императив относиться к людям так, как они есть. Согласно этой теории морали, ученик уже способен осознать сферу своих взаимоотношений с другими людьми и понимает положительные и отрицательные последствия соблюдения законов, а также важность соглашений, которые заключаются во всех сферах его существования. Это приводит его к развитию уровней сознания, которые, согласно Бернарду Лонергану (1957), он назвал "трансцендентальным методом", говорящим о четырех уровнях сознания. Каждый уровень определяется типом отношений, которые субъект намеревается установить и фактически устанавливает через ряд сознательных операций с объектом. В данном случае речь идет об учебе, для которой на первом уровне появляется намерение, состоящее только в том, чтобы обращать внимание на предметы, представленные в классе. На втором уровне, помимо внимания к занятиям, он также стремится понять то, что представлено. На третьем уровне, в дополнение к предыдущим уровням, он добавляет организацию тем, которые он понял, и устанавливает категории того, что он усвоил. И, наконец, на четвертом уровне он берет на себя полную ответственность за то, что он посетил, понял и организовал увиденные темы.

В этой части эволюции человека уже есть полное понимание того, что представляет собой абстрактное и конкретное, в абстрактном плане он способен распознавать добро и зло, честность и нечестность в людях, он знает, как интерпретировать отношение и намерения других людей. А на конкретном уровне они способны связать то, что изучают в школе, с реальностью, в которой они живут каждый день.

Это означает, что можно усвоить инструментальное (тематическое содержание) и интегративное (реальные проблемы), и это отражается в схеме обучения, где преобладает дедуктивная модель, поскольку понятия, определения, формулы или законы и принципы уже хорошо усвоены студентом, так как дедукция формируется на основе этого метода. Это более привлекательно и выгодно для студента, так как позволяет избежать дополнительной работы и сэкономить время. На этом этапе жизни студента преподаватель уже не воспринимается им как источник знаний, студент теперь может подвергать сомнению "абсолютные истины" преподавателя, ему разрешается сомневаться в том, что он слышит, может даже случиться так, что то, что студент знает, не соответствует тому, что он знал о предмете ранее, поэтому многие студенты вузов бессознательно перестраивают свою позицию по отношению к понятию сомнения.

Стоит разобраться в этом вопросе. В прошлом многие люди считали сомнение синонимом невежества, а это в контексте образования означало, что если что-то услышанное или прочитанное не вписывалось в прежние знания, человек сомневался или не верил этому. И, следовательно, это отрицалось, что порождало в нем неприятные чувства, колеблющиеся между стыдом и страхом.

Теперь, с перестройкой сапиента и с более высоким уровнем когнитивного развития, студент способен интегрировать абстрактный и конкретный планы, следовательно, он может понять и вывести, что слово сомнение означает лишь расстояние между тем, что известно о предмете, и тем, что кто-то другой утверждает, что знает о нем, следовательно, устанавливается граница. Эта граница (то, что знает о чем-то один человек, и то, что утверждает о нем другой) называется сомнением. Таким образом, с этой семантической переименованием слова принимается новая парадигма понятия "сомнение", теперь можно знать и признавать, что человек, который сомневается, - это умный человек; с другой стороны, человек, который принимает за абсолютную истину всю информацию, которую он слышит или читает, - это невежественный человек.

С моей точки зрения, лучший способ развития этой области - это трансляция инструментального предмета, полученного в классе, и его конкретное применение в реальной жизни и даже в самом контексте; для этого необходимо использовать другие ресурсы или стратегии обучения, которые позволяют именно такую интеграцию, *метакогнитивные* стратегии являются отличным способом для достижения этой задачи, с помощью этих ресурсов можно установить контекстуальные, ситуативные, пространственные, мировоззренческие аналогии и т. д..

Еще одним ресурсом, который часто бывает очень полезен при попытке установить взаимосвязь между конкретными понятиями, являются концептуальные карты, особенность которых заключается в том, что они представляют только основную идею, и именно ученик, объясняя карту, углубляется в особенности темы. Мнемонические стратегии, такие как ключевые слова, также являются отличным решением для сжатия полных предложений, которые имеют определенную степень сложности.

Видно, что в этой части академического пути студент сталкивается с академическими требованиями, обучаясь традиционным способом; и на самом деле, эти ресурсы адекватны и, прежде всего, функциональны, однако во многих случаях у некоторых студентов не очень хорошо развита привычка к чтению, и по этой же причине им трудно удерживать внимание на читаемом предмете, что вызывает у студента ощущение, что он теряет время, а значит, эмоционально он не хочет продолжать контакт с чтением, поэтому в образовательном плане существует хорошее количество ресурсов такого типа. Студенты сами должны искать ресурсы, которые лучше всего соответствуют их потребностям в знаниях, понимая, что в мире формальных знаний не все *метакогнитивные* инструменты будут одинаково полезны, поэтому они должны сначала узнать, какие ресурсы существуют, а затем выбрать тот, который лучше всего соответствует их собственным потребностям. У всех ресурсов есть свои рамки и ограничения, но все они так или иначе могут способствовать увеличению когнитивного потенциала, нужно лишь потратить немного времени на их поиск.

Наконец, стоит упомянуть о важности места, которое вы выберете для занятий: лично я не рекомендую заниматься в спальной комнате, потому что существует связь места с привычкой спать; однако бывают случаи, когда место, которым вы располагаете, находится в той же спальне, и в этом смысле рекомендуется не включать телевизор, если он у вас есть, а вместо него рекомендуется тихая музыка, специально разработанная для повышения эффективности чтения.

К сожалению, в большинстве домов сегодня проектируются жилые помещения, спальни, ванные комнаты, гостиные, столовые и т.д., а это значит, что во многих домах нет достаточного пространства для занятий. Это означает, что во многих домах нет достаточного пространства для работы студентов, поэтому следует также учитывать лучшее время для учебы и способ подготовки к ней. Это означает, что если вы хотите спать и в то же время вам нужно заниматься, предпочтительнее сначала отдохнуть несколько минут, а затем взяться за учебу с более спокойным настроением; Лично для меня лучшим временем для учебы является раннее утро, так как я уже выспался и в это время суток все спят и нет никаких помех и отвлекающих факторов; это позволяет мне совместить отдых и расслабленное настроение, а также спокойное пространство, такая связка позволяет мне развивать лучшую эффективность чтения и понимания просматриваемых текстов, к тому же времени на этот процесс тратится меньше, чем если бы необходимость учиться возникла в неподходящих условиях.

Игровая система

Человек с генетической точки зрения наделен многими способностями и ресурсами, чтобы справляться с требованиями жизни на протяжении всего процесса существования; у него есть физическая сила, чтобы нести, толкать, держать, есть умственная сила, чтобы поддерживать темп работы, даже когда он расстроен, есть волевая сила, чтобы двигаться вперед, даже несмотря на возможные кризисы, есть способность думать, решать, действовать, переоценивать и упорствовать, он может испытывать страх, гнев, отвращение, удивление, печаль, но, прежде всего, он может и должен испытывать радость. Он может испытывать страх, гнев, отвращение, удивление, печаль, но прежде всего он может и должен испытывать радость. Но почему он должен испытывать радость? Причина императива "должен" в основном связана с настроением, которое он вызывает в организме, и его рефлекторным последствием на гормональном уровне. Ведь радость в состоянии, которое провоцирует веселье, эйфорию, удовлетворение, обеспечивает чувство благополучия и безопасности. Если принять во внимание, что эмоции выполняют адаптивную функцию, то можно увидеть, что радость побуждает нас к воспроизводству, то есть мы хотим воспроизвести событие, которое вызывает у нас приятные ощущения.

Человек обладает примерно 42 различными лицевыми мышцами. Поэтому, когда возникает приятная ситуация, она выражается на лице, поэтому все мышцы лица активизируются, то, как эти мышцы двигаются, связано с тем, как выражается определенная эмоция, у каждого человека разные улыбки, которые, в свою очередь, выражают разную степень радости.

Иногда бывает трудно объяснить чувства словами. И тогда улыбка - это еще один социально приемлемый способ общения и ощущения интеграции в социальную группу. Важно помнить о потребности человека в общительности, поэтому общение и интеграция - это то, что необходимо человеку. Зигмунд Фрейд (1856-1939) утверждал, что у человека есть естественная тенденция избегать боли, поэтому его мотивирует все, что приносит ему удовольствие и ограждает от страданий; по мнению этого автора, мы - вид с гедонистическими наклонностями, что означает, что удовольствие - высшая цель жизни человека.

Лично я считаю, что есть и другие факторы, которые мотивируют людей, а не только удовольствие, однако мы можем понять, что у части населения именно это преобладает. Академическая сфера способствует развитию познания, и это отражается в типах рассуждений, так что можно наблюдать рост умственного плана, но не всегда нужно уделять столько времени познавательной сфере, потому что может произойти насыщение, а вместе с ним и своего рода умственное препятствие, мешающее лучшей успеваемости; Такая ситуация вызывает потребность в другой деятельности, которая не предполагает больших физических и умственных усилий, вместо этого позволяет отвлечь внимание и вызывает умственный отдых, кроме того, игра может способствовать рассеиванию этого напряжения и созданию другой атмосферы, которая благоприятствует умственной гигиене.

Игровая активность может проявляться как в энергичных физических нагрузках, например, в командных или индивидуальных видах спорта, прогулках по пересеченной местности, плавании в пруду или бассейне, так и в комфортной обстановке собственного дома, играя в настольные игры с кем-то из членов семьи, а может быть, читая хороший научно-фантастический или детективный роман, или рисуя живописные эскизы, возможно, сочиняя стихи или песни и играя на музыкальном инструменте, а может быть, занимаясь садоводством и т. д. Как видите, вариантов игровых занятий множество, главное в этой части жизни - прежде всего осознать для себя важность развития этой сферы, которая отнюдь не отвлекает от жизни, а является очень важным источником личного катарсиса и душевной гигиены.

Телевидение было создано для различных целей, одна из которых заключается в том, что его основная функция - отвлекать зрителей, предлагая им привлекательные программы, которые пытаются развлечь их бесконечным количеством средств. Истина этого отвлечения более чем извращена, реальное намерение этих программ - заставить субъекта купить товары, которые ему не нужны, но взамен они обещают ему наслаждаться жизнью, потребляя продвигаемые продукты, которые представляют ему маленькие истории личных или семейных достижений, благодаря использованию того или иного ароматического мыла, или что мать будет более любима своим мужем и детьми, потому что ее банные полотенца мягче и лучше пахнут, потому что она стирает их определенным продуктом.

Извращение, о котором я говорю, заключается в том, что телевизионные продюсеры также знают о важности игривости для человека и признают эту же потребность, только они используют ее в своих интересах и включают в свое видение бизнеса, а следовательно, используют принцип Премака (1965), который гласит: "Из любой пары реакций или действий, в которых участвует человек, более частая будет усиливать менее частую"; это, говоря проще, предполагает, что поведение с большей вероятностью может усиливать поведение с меньшей вероятностью.
Согласно этому принципу, человек нуждается в отвлечении, и для этого его можно отвлечь, не делая ничего физического, то есть можно отвлечься, просто сидя в удобном кресле и смотря телевизор, а можно заниматься какой-либо деятельностью, которая предполагает динамизм, будь то ручной или телесный, поэтому наиболее частое поведение - сидеть, ничего не делая, и последнее ошибочно усиливает концепцию игривости.

Таким образом, телевизионные производители используют эту концепцию и пользуются ее предложением в подсознательной форме, то есть ниже порога восприятия, что заставляет человека не осознавать истинный посыл, который заключается в предположении, что потребительство сделает его счастливым, тогда как на самом деле оно порождает еще большее несчастье, потому что у него не будет достаточно денег, чтобы купить все, что рекламируется и что, по-видимому, решает его человеческие потребности, когда на самом деле они только способствуют приобретенным потребностям, которые мало способствуют истинному развитию человека, напротив, они способствуют в большей степени постоянному чувству неудовлетворенности собой и своим окружением. Таким образом, извращение заключается в том, что внимание, которое должно быть уделено собственным потребностям, отвлекается, а вместо него удовлетворяются приобретенные потребности, не имеющие ничего общего с истинной сущностью человека.

Один из ресурсов, который можно использовать для решения этой актуальной проблемы, -

творчество, то есть создание собственных ресурсов для игрового саморазвития. Например, можно включить в свою жизнь занятия садоводством, которые позволяют активизировать тело и одновременно научиться выращивать цветы и растения, которыми можно украсить свое окружение; а можно научиться играть на музыкальном инструменте или выучить другой язык, вести дневник, учить новые слова, собирать пазлы, играть в настольные игры, читать книги на разные темы и т. д. Каким бы ни было занятие, главное, чтобы оно вызывало чувство радости, потому что, как мы уже говорили, радость, помимо стимуляции мышц лица, способствует тому, что человек получает удовольствие, испытывает эйфорию, довольство собой и жизнью, дает ему ощущение благополучия, что переходит в лучшую психологическую установку, которая отражается в более оптимистичном видении мира, в котором он живет, а это само по себе может дать ему больше уверенности, чтобы доверять себе.

Итак, предположим, что вы не хотите заниматься ни одним из возможных видов деятельности, упомянутых выше, и решили вместо этого посмотреть телевизор. Тогда вы можете добиться следующего: смотрите и сомневайтесь, как мы выражались при разработке академической области, то есть сомневайтесь во всем, что видите и слышите, устанавливайте дистанцию между тем, что вы считаете правдой, и той правдой, которую пропагандирует телевидение. Помните, что это

Средства массовой информации были созданы не столько для того, чтобы способствовать полноценному развитию человека, сколько для маркетинговых целей, и многое из того, что там представлено, на самом деле не является реальностью. На самом деле, такова медийная сила телевидения, что сегодня многое из того, что показывают, вызывает доверие. Поэтому сомнение само по себе является творческим ресурсом, активизирующим собственный интеллект и позволяющим использовать ментальную латеральность, что *само по себе* способствует развитию человека.

Сексуальная система

"Голод и тяга к еде настолько естественны, что мы не осознаем, сколько энергии высвобождается при их удовлетворении. То же самое происходит и с высвобождением сексуальной энергии. Это так же естественно, как облака в небе или волны в море. Если подавлять эти импульсы, естественная энергия будет направлена на создание навязчивых идей, компульсий, что может привести к чувству вины. Речь идет не о том, чтобы отрицать или потакать энергии жизни. Речь идет о наблюдении и принятии интенсивности этой энергии, чтобы направить ее в разумное русло. Можно праздновать человечность, принимая сексуальность. Такого взгляда на сексуальность придерживается Дэн Миллман (1998) в своей книге "Повседневное просветление". В этом разделе он говорит о сексуальности как о способе празднования жизни, что вполне логично, поскольку через этот человеческий ресурс представлен генезис жизни.

Очень интересна аналогия, которую он проводит между инстинктом голода или даже удовольствия от еды и сексуальностью: и то, и другое - предвестники человечества, цветам нужен солнечный свет для фотосинтеза, животные убивают только из-за голода и для увековечивания своего вида, как, например, большие кошки; У людей голод - это тоже потребность, настолько сильная, что если по какой-то причине она не удовлетворена, то невозможно сохранить внимание, есть даже случаи, когда отсутствие еды приводит к тому, что человек становится раздражительным и теряет самообладание. То же самое можно сказать и о сексуальности: это настолько сильная энергия, что ее необходимо направлять в нужное русло, чтобы использовать ее силу.

Сексуальная область реализуется не только генитальным образом, но и закрепляется духовно через чувствительность и уважение, которые проявляются к себе и другим; в этот момент она связана с аффективной частью, но здесь она ориентирована на ощущения и действия, связанные с сексуальным, поскольку в аффективном плане она может быть закреплена с друзьями и незнакомцами, а в сексуальном - только с людьми, имеющими доступ к интимной проземике. Сексуальность выходит за рамки эротических игр, это соединение радости, любви и страсти, интенсивность ее проявления настолько велика, что мы научились быть бдительными к ее проявлениям, когда на самом деле ее присутствие представляет собой лишь форму достигнутого духовного роста. Многие люди воспринимают проявление сексуальности как чисто плотский акт, однако его осуществление влечет за собой и требует большой духовности. В измерениях бытия было высказано предположение, что духовность - это возможность знать, чувствовать и ценить себя, то, что часто называют духом, на самом деле является "субстанцией" человеческих существ, это та часть нас самих, которая делает нас похожими друг на друга. Дух может жить независимо от тела, но тело не может жить без духа. Таким образом, понятие духа включает в себя способность познавать, чувствовать и ценить себя, поэтому сексуальность тесно связана с духовностью; принятие союза духовности и сексуальности влечет за собой принятие собственной человечности и, таким образом, интеграцию чувства полной целостности.

По этой причине очень важно принимать себя таким, какой он есть, то есть любить себя таким, какой он есть. Возможно, это одна из проблем в момент восприятия себя как сексуального, возможно, возникает чувство дискомфорта по отношению к себе, потому что человек не принимает ту форму тела, которой обладает, и это отрицание заставляет нас ограничивать собственное самопознание; по той же причине проявляется отсутствие чувствительности, и, следовательно, не возникает оценки, напротив, преобладает определенное презрение к собственной фигуре, и этим человек отказывает себе в возможности исследовать свою сексуальность. Это означает, что первым препятствием на пути к соединению с собственной сексуальностью является именно заблуждение об идеальном теле, которое напоминает скорее идеал, чем совершенство; любопытно, как много мужчин и женщин тратят много энергии на наблюдение за другими мужчинами и женщинами, пытаясь найти идеальные тела в этом видении, что заставляет человека чувствовать себя физически неполноценным, что вызывает чувство стыда или ложной скромности.

В некоторых кругах друзей очень принято говорить на личные темы, такие как диеты, деньги, религия, политика, спорт и т. д., и можно заметить, что люди чувствуют себя комфортно, обсуждая эти темы, но когда обсуждаются темы, связанные с сексуальностью, люди часто испытывают беспокойство или неловкость и предпочитают избегать обсуждения этих тем. Во многих религиях эти вопросы не обсуждаются, потому что сексуальность рассматривается как репродуктивная деятельность, и редко как нормальная и, прежде всего, необходимая деятельность в человеческих отношениях. Однако очень важно отметить, что эта деятельность требует большой зрелости; многие молодые люди склонны вступать в нее, не будучи психологически подготовленными. Хотя у них уже есть физические данные для того, чтобы в полной мере заниматься сексуальной жизнью, они не обладают психической зрелостью, необходимой для того, чтобы противостоять интенсивным ощущениям, которые возникают при ее осуществлении. Поэтому некоторые молодые люди вступают в эту деятельность, руководствуясь только удовольствием от плотского контакта, не понимая, что после отношений могут произойти великие события, такие как зачатие ребенка. В этой части жизни есть много ощущений, которые в силу юного возраста они еще не испытали, импульсивный дух преобладает над рефлексивным духом, осуществление сексуальных отношений обычно является только началом цепи ошибок, которые начинаются, когда они вступают в сексуальные отношения, не будучи подготовленными методами профилактики, или когда отношения знакомства становятся единственным источником эмоционального удовлетворения и устанавливаются обусловленные или зависимые отношения, или, как это случалось в некоторых случаях, сексуальные отношения продолжаются, когда оба находятся в состоянии алкогольного опьянения или без полного осознания того, что влечет за собой эта деятельность.

Сексуальность, как она изначально выражается, подразумевает не только генитальность, но и безусловное принятие себя, а также занятие любовью, то есть попытку сделать что-то без особой глубины и самоотдачи, поэтому ласки, поцелуи и объятия - это основные виды деятельности, которые способствуют самоисследованию, а вместе с ним - познанию и распознаванию того, какие ощущения приятны, а какие более интенсивны. Учебный процесс в университете не только дает возможность интеллектуального роста, но и обеспечивает социальное развитие, а в некоторых случаях и дружеские отношения, которые функционируют как своего рода сеть на профессиональном уровне. Отношения знакомства также являются частью деятельности, которая может быть достигнута на этом этапе, товарищи по группе, партнеры по карьере или, возможно, студенты из других профессий; у каждого есть возможность выбрать или быть выбранным, главное здесь - решиться на ухаживание и в будущем оформить отношения знакомства, которые могут способствовать созданию лучшей университетской атмосферы.

Главное - не сдаваться, а, наоборот, упорствовать, чтобы научиться жить вместе в более глубоких отношениях, которые постепенно развиваются, и воспользоваться этим процессом, чтобы осознать важность и интенсивность ощущений, испытываемых как мужчинами, так и женщинами. Как только этот интенсивный опыт будет усвоен, станет легче воспринимать теплоту и страсть поцелуев, интенсивность ласк, а также отдачу и получение ласк. Не стоит рисковать слишком сильно или действовать импульсивно, полагая, что больше не будет возможности в полной мере проявить свою сексуальность. Этот опыт придет, но в той мере, в какой человек подготовит себя к этому событию, он подготовит себя к тому, чтобы принять сексуальность и испытать все ее богатство, не чувствуя вины за ее проявление.

Физическая/спортивная система

Понятие физической активности регулярно ассоциируется со спортивной практикой, и очень часто многие люди, которых спрашивают о физической активности, отвечают, что им не нравится заниматься тем или иным видом спорта из-за сложности правил работы и сложности выполнения. Именно поэтому, прежде всего, необходимо установить различия между спортом и физической активностью, которые, несмотря на то, что оба вида спорта имеют общую потребность в телесной динамике, различаются именно целью одного и другого.

Спортивные тренировки, будь то футбол, волейбол, баскетбол, бейсбол, софтбол и т. д., имеют вполне конкретные цели и требуют группы людей для своего развития. У них очень специфические цели, и для их развития требуется группа людей. Хотя существуют и индивидуальные виды спорта, тем не менее, любой из них требует освоения определенных физических, технических и тактических моментов. Физический аспект относится к физическим возможностям, таким как сила, выносливость и скорость. Технический аспект связан с определенными навыками исполнения, например, умением бить по мячу, бросать мяч, забивать мяч в корзину или ловить мяч; а тактический аспект включает в себя собственные навыки в сочетании с навыками других членов команды, чтобы построить, используя стратегию, наступательные и оборонительные ресурсы, главная цель которых - набрать наибольшее количество голов, очков, корзин или пробежек, и все это на основе ряда правил, которые служат для регулирования развития состязаний.

Для того чтобы достичь определенного соревновательного уровня, необходимо, чтобы все члены различных команд и видов спорта научились выполнять движения, характерные для определенных видов спорта и позиций. Для этого требуется определенная систематизация процедур, называемых тренировками, где устанавливаются графики и распорядок дня, которые точно охватывают развитие и эволюцию спортсменов, которые смогут наблюдать плоды своих усилий во время различных соревнований, которые проводятся. По этой же причине оценка усилий в этом виде деятельности обычно основывается на достигнутых благоприятных результатах, поэтому, когда по каким-то причинам они не являются благоприятными, многие спортсмены испытывают определенную степень разочарования, поскольку концентрируют свое внимание на цели и перестают обращать внимание на процесс; то есть они не осознают, что независимо от достигнутых результатов им удалось приобрести физическую форму и волевое развитие, качества, которые присущи не только спорту, но и другим видам повседневной деятельности.

С другой стороны, физическая активность проявляется в увеличении интенсивности деятельности, также называемой моторикой, которая в своем определении устанавливает, что это способность человека самостоятельно генерировать движение, для чего необходимо обеспечить адекватный баланс между координационной способностью и синхронизацией структур тела, участвующих в движении, таких как опорно-двигательный аппарат, нервная система и органы чувств. Моторные навыки имеют две формы: мелкая и грубая моторика. Первая проявляется, как видно из названия, посредством тонких движений, таких как мышцы, задействованные в речи, движении глаз, движении рук и т.д. А к грубой моторике относится, в частности, способность бегать, прыгать, метать, толкать, крутить педали и т.д.

Как видно, двигательные навыки остаются неизменными в обоих видах деятельности, с той лишь разницей, что спортивная деятельность требует больших затрат времени и средств, а физическая может осуществляться с меньшими затратами времени и средств. В обоих видах деятельности постоянно присутствуют физические и волевые усилия. В первом случае речь идет об инициировании и поддержании систематического ритма выполнения для достижения результатов, а во втором - о проявлении инициативы и настойчивости для того, чтобы придерживаться распорядка дня. Одна из возможных причин, почему люди ассоциируют спорт с физической активностью, заключается в том, что, скорее всего, в школьной среде различные учителя физкультуры инициировали эту деятельность, поощряя детей заниматься спортом, давая им мячи и шары и формируя команды для соревнований между собой, таким образом устанавливая отношения "спорт-соревнование", Это привело к тому, что многие мальчики и девочки выбирали более физически одаренных одноклассников, оттесняя на второй план тех, кто был более ограничен в двигательных возможностях, или даже эти же дети могли стать объектом насмешек или словесных оскорблений, что в итоге привело к тому, что у многих из этих детей сформировалось, с одной стороны, ошибочное отношение к физической активности и спорту, а с другой - отвращение к самой активности.

Теперь, когда мы ясно представляем себе различия и, возможно, находим ответ на вопрос, почему эта деятельность не ценится как часть личностного развития, мы можем определить некоторые преимущества физической активности. Первое, как правило, самое значительное, связано с расходом калорий, что делает ее очень эффективным инструментом в схемах поддержания веса тела, а второе, также очень значительное, связано с выбросом эндорфинов, который способствует этой активности, что дает людям больше чувство благополучия и наполненности, что дает им больше мужества, чтобы противостоять ежедневным требованиям существования. Если мы осознаем, что эти три фактора не только позволят нам контролировать вес тела, но и отразятся на нашей самооценке, то есть одно и то же занятие может способствовать повышению самооценки и признательности.

Чтобы включить эту деятельность в повседневную жизнь, не нужно совершать больших действий или затрат, необходимо лишь выбрать то, что лучше всего подходит к образу жизни, а иногда и к бюджету; в этом смысле стоит также уточнить, что у многих людей есть представление, что только в спортзалах можно заниматься физической активностью, что совершенно неверно, поскольку любое место подходит для этой деятельности, вопрос лишь в некоторой креативности, желании и времени, чтобы осуществить ее развитие. Варианты, которые существуют в настоящее время для физической активности, многочисленны и разнообразны, например: занятия на свежем воздухе, игра в бадминтон, бег, ходьба, или в закрытой среде аэробика, ритмическая гимнастика, беговая дорожка, велосипед или гребные тренажеры и т.д..

В этом разделе важно, во-первых, принять идею о важности наполнения энергией собственного тела, во-вторых, признать важность увеличения энергозатрат и, наконец, осознать, что эта деятельность значительно повышает настроение и самооценку, что приведет к большей заботе о себе.

Духовность

Цель этого раздела - показать богатство, которое живет в человеке, но которое по разным причинам не видно, да что там, даже не замечается, в таком подавляющем темпе жизни, в котором мы обычно живем, что очень трудно заметить дистанцию, которую мы испытываем по отношению к самим себе; примеры, которые были приведены в этой книге, позволили нам показать, что человек овеществляет себя, то есть мы видим и чувствуем себя как вещи, а не как людей. Эта тенденция сильно ограничивает духовное развитие, поэтому, когда людям удастся включить в свою повседневную жизнь больше осознанности, больше эмпатии и больше синхронности с собой, именно в этот момент они достигнут большой эволюции в духовной области.

Именно в этом процессе Уильям Габриэль Пуга Коба, прекрасный друг и собеседник, обладающий огромной чувствительностью и богатым опытом, любезно предоставил мне свое видение духовности. Перспектива, которую дает нам это видение, позволяет нам наблюдать полярности, существующие в стремлении к духовности, поскольку некоторые ассоциируют духовность с религией, однако Уильям связывает ее с добродетелями или сильными сторонами человеческого существа, и это, в конце концов, основные предпосылки, которые побудили нас к созданию этой книги. Без лишних слов я приглашаю вас вместе ознакомиться с духовной концепцией моего спутника и друга.

Духовность - это нематериальное измерение жизни, радикально отличающее нас от животных. Духовность - это самое человеческое, что есть у людей, потому что она дает нам внутренность, сознание, а также позволяет ориентироваться на будущее, иметь надежду и преодолевать свою конечность.

Духовность - это то, что позитивная психология называет "трансцендентальными достоинствами или сильными сторонами". Как отмечает Фредриксон (2001), реализация трансцендентальных достоинств или духовности, как я ее называю, порождает положительные эмоции. Положительные эмоции - важнейшие элементы оптимального функционирования человека, поскольку они расширяют репертуар мыслей и действий, уменьшают продолжительные негативные эмоции, стимулируют жизнестойкость и провоцируют позитивные спирали настроения, которые повышают эмоциональное благополучие.

Ценности и цели человека служат посредником между внешними событиями и тем, как он их переживает, и в этом смысле трансцендентальные силы или духовность могут способствовать множеству желаемых эффектов, которые эффективно способствуют благополучию и более насыщенной личной жизни.

- Духовность - это врожденная потребность человека, а значит, глубоко человеческая.
- Духовность - самое богатое и прекрасное проявление человека, которое существенно и качественно отличает его от животных.
- Духовность позволяет человеку надеяться, то есть иметь надежду, и выходить за пределы себя, то есть трансцендировать.
- Духовность позволяет человеку обнаружить цель в самом себе, а не считать себя концом всего.
- Духовность позволяет человеку проектировать, строить, выбирать и решать свою цель, свою судьбу, а не просто жить, подчиняясь импульсам природы.
- Духовность, ориентирующая, движущая и дающая человеку силы для постижения будущее.
- Духовность позволяет человеку, исходя из его конечности, стремиться к Бесконечность.
- Духовность делает возможным для человека жить в бесконечности, отталкиваясь от своей конечности.
- Духовность позволяет человеку созерцать то, что не видно, и утверждать то, чего он не знает, "ибо все его существо вопиет и сговаривается, чтобы так было". Самое объективное - это тайна, а еще больше - тайна нас самих.
- Духовность позволяет людям любить и чувствовать себя любимыми.
- Духовность дает человеку возможность создавать, воссоздавать и ответственно относиться к своему существованию, выражая в каждом действии красоту полноценной жизни в свободе.

Именно эту глубоко человеческую духовную сферу я сейчас заинтересован выделить и восстановить из справедливости ее важность, ее ценность, ее богатство, ее глубину и ее центральное место в жизни каждого человека.

Духовность позволяет нам открыть, что главное и по-настоящему важное для каждого человека - это то, что не проходит, а не то, что не заканчивается, а то, что не заканчивается и не проходит, - это трансцендентные добродетели или силы, которые я называю духовностью. Вот почему мы можем заключить, утверждая, что и вы, и я, и каждое человеческое существо - это естественное и глубоко духовное существо, а благодаря духовности - глубоко человеческое.

Размышления, которые вызывает у нас такое видение духовности, позволяют сделать вывод, что, принимая свою человечность, мы принимаем и свою духовность в том же смысле; эта же духовность заставляет нас питать надежду, которая служит своего рода двигателем развития. Но для того, чтобы представить себе свою судьбу, человек должен прежде всего знать, какими добродетелями и трансцендентными силами он обладает, потому что это в конечном счете единственные и самые ценные инструменты, которые можно использовать в поисках трансцендентности. Человеку необходимо взять на себя полную ответственность за свою свободу действий и выбора, чтобы систематически переосмысливать свое присутствие, наслаждаться и извлекать уроки из собственного существования.

Система труда

Работа подразумевает, помимо прочего, выполнение продуктивной деятельности, которая позволяет генерировать экономические и, во многих случаях, эмоциональные ресурсы после ее выполнения. Слово "работа" имеет несколько значений, начиная от оплачиваемого действия и заканчивая тем, которое требует больших усилий для выполнения, или может быть определено как действие человеческих усилий, направленное на производство богатства. С одной стороны, люди, которые работают, делают это потому, что таким образом они знают, что могут получить экономическое вознаграждение, а полученные ресурсы могут быть использованы для удовлетворения личных или семейных потребностей. Теперь, в строгом смысле слова, слово "работа" ассоциируется с теми действиями, которые требуют больших физических и умственных усилий для их выполнения, поэтому они "стоят работы", и, наконец, постоянство в работе может производить богатство; однако это имеет не только экономический характер, но также может отражать богатство в компетенциях, которые развиваются, и в знаниях, которые приобретаются в результате этого же развития.

Как видно, работа объединяет несколько вопросов, которые стоит проанализировать более глубоко, потому что эти три коннотации возникают одновременно, когда человек работает, и во многих случаях люди концентрируют свое внимание только на коннотации, связанной с экономикой.

Первое значение работы связано с вознаграждением, которое обычно связывают с деньгами, но на самом деле вознаграждение можно получить и внутренним путем, то есть от того, что человек чувствует удовлетворение от того, что он делает, либо от того, насколько продуманно, эффективно или точно он смог выполнить работу. Но не все связано с производительностью, есть еще и межличностные отношения, предположим, что контекст, в котором выполняется работа, - это компания, в которой работает несколько сотрудников, так как вполне вероятно, что могут быть установлены родственные связи, которые могут перерасти в большую дружбу или даже официальные отношения, будь то свидание или брак. Таким образом, возмездие будет не только финансовым, но и принесет личное удовлетворение.

Что касается понятия "работа" как синонима усилия, то можно признать, что, приступая к новой деятельности, необходимо сначала ознакомиться со всеми заданиями, которые предстоит выполнить, а также с тем, с кем или с чем придется взаимодействовать, а затем оценить собственную эффективность при выполнении нового задания. Эти последствия требуют определенного времени для осознания и освоения, так что поначалу вы сами, вероятно, будете не очень эффективны, и поэтому придется немного "поработать", чтобы освоиться с заданиями. Наконец, накопление богатства будет отражаться в двух очень четких аспектах, первый из которых связан с когнитивными компетенциями, то есть со способностями, которые будут способствовать повышению способности анализировать, оценивать, определять и принимать решения, ресурсами, которые будут полезны не только на рабочем месте, но и могут быть использованы во всех областях, в которых участвует человек. Последнее отражается в двигательных, социальных и аффективных навыках. Моторные навыки связаны со способностью к исполнению, то есть с навыками, которые будут постепенно развиваться и позволят повысить эффективность выполняемых действий. Социальные навыки проявляются в способности укреплять дружеские узы со своими товарищами, а также в установлении аффективных связей с ними. Именно поэтому развитие этой области не основывается исключительно на получаемом экономическом вознаграждении или на должностях, которые человек хочет занять, но в этой эволюции необходимо также учитывать возможность выполнять действия в соответствии с собственными возможностями и по мере возможности увеличивать потенциал исполнения, которым он обладает.

У каждого из выпускников университета есть потенциал для развития, который может раскрыться, если они решат сосредоточиться на том, что у них получается хорошо или в соответствии с политикой компании, в которой они работают, а не на том, чего они не знают или не до конца понимают. Причина такого утверждения кроется в том, что во многих случаях люди, начинающие работать в компании, делают это с негативной точки зрения самонаблюдения, вместо того чтобы признать, что они потенциально способны выполнять возложенные на них задачи.

Определенно, очень вероятно, что вначале выполнение любой работы будет стоить больших усилий, причины могут быть связаны с естественным незнанием заданий, политики, коллег и т.д.; поэтому не стоит быть таким строгим к себе и осуждать себя за зарождающуюся неспособность, которую можно проявить в тот или иной момент, а вместо этого лучше включить поощрение, готовность и, прежде всего, смирение к тому, чему нужно учиться, и постепенно стремиться стать экспертом, чтобы реализовать себя как работника и человека.

Эпилог

Понятие, которое лично мне очень нравится и которое постоянно присутствует в моей жизни, связано со словом excursion, которое обычно относят к поездкам или развлекательным вылазкам; это в определенной степени верно, однако точность этого значения я предпочитаю соотносить с фактом схода с курса, это означает, что для того, чтобы отправиться на экскурсию, необходимо покинуть привычный курс, который он проходит.

Цель этой книги - предложить людям выйти из привычного хода жизни и заглянуть в те места, которые еще не были исследованы, возможно, из-за страха, осторожности или потому, что они не задавались этим вопросом.

Systemic Vision предлагает, в частности, два экскурса, которые требуют большой смелости и мотивации. Понятие смелости включает в себя даже две предпосылки, первая из которых проявляется в том, что одно, в силу самого факта своего существования, уже имеет неявную ценность; а вторая - в том, что требуется большая смелость, чтобы решиться пойти против того, что другие или даже мы сами установили как судьбу и от чего по разным причинам мы со временем отошли, ошибочно полагая, что повторить этот путь будет невозможно, поскольку мы воспринимаем то, что уже известно, как абсолютную истину.

Поэтому нужно обладать немалой смелостью, чтобы решиться вернуть себе контроль над собственным существованием. И как только вы решите вернуть этот контроль, вам понадобится мотив или причина для действий, а значит, мотивация будет необходима для совершения этой экскурсии, которая будет отражаться в двух взаимно различных направлениях. Systemic Vision на протяжении всей этой книги приглашает вас совершить экскурс в свое внутреннее "я", чтобы в этом путешествии вы смогли найти свою собственную сущность, ту, которая идентифицирует, индивидуализирует и потенцирует вас, чтобы из этого внутреннего пространства вы смогли расти в когнитивном, аффективном и духовном измерениях, чтобы из этого внутреннего пространства вы смогли расти в когнитивном, аффективном и духовном измерениях, чтобы из этого внутреннего пространства вы смогли расти в когнитивном, аффективном и духовном измерениях, Чтобы из этого внутреннего пространства вы смогли расти в когнитивном, аффективном и духовном измерениях, чтобы вы создали своего рода платформу, достаточно прочную и гибкую, которая позволит вам продвигаться по пути развития ваших областей человеческого роста, и чтобы вы могли путешествовать по каждой из них с достаточным апломбом и уверенностью, чтобы раскрыть весь свой потенциал для реализации.

Для этого вам придется сначала пересмотреть свой образ жизни, а затем определить, что вы оставите в стороне, а что включите в свою жизнь, чтобы продолжить экскурсию. Помните, что лучше всего наслаждаться путешествием, когда вы идете налегке, поэтому смело оставляйте то, что вам пригодится в этом путешествии, и отказывайтесь от того, что вам может надоесть из-за своего веса. Помните, что каждая экскурсия - это то же самое приключение, поэтому вы не можете знать, что произойдет; однако, когда вы достаточно узнаете себя, вы будете знать, что делать, чтобы вернуться в русло своей жизни.

Для этого у вас есть знаки, которые помогут вам не заблудиться на этом пути и которые вы можете постоянно наблюдать за своим душевным состоянием и психическим здоровьем.

Итак, я благодарен вам за благосклонность и надеюсь, что вы получите удовольствие от приключения, развивая в себе человеческую сущность в полной мере.

Библиография

A. Jackson S./Csikszentmihayi 2010 *Поток в спорте*

Бандура А. 1963 Социальное *обучение и развитие личности*

Берталанфи Людвиг 1950 *Общая теория систем*

Buceta J. María 1998 *Психологические переменные, связанные со спортивными результатами.*

Кабальо Э. Висенте 2008 *Справочник по терапии и техникам модификации поведения*

Кастанеда Селедонио 2005 *Гуманистическая психология Северной Америки*

Коррес А. Патриция 2000 *Память о забвении*

Чавес Росарио/Мишель Серхио 2009 *Охраняемое пространство для диалога*

Кови Р. Стивен 1992 *Принципиальное лидерство*

Куэли Хосе/Рейдл Люси/Марти Кармен/Лартиге Тереза/Мичака Педро 1998 *Теории личности*

Эллис Альберт 1996 *Более глубокая и продолжительная терапия*

Из Анхелес Барбара 2002 *Eres tu mi media naranja*

Диас Карлос 2006 *От несчастного я к сияющему мы*

Диас Карлос 2004 *Говоря о человеке*

Фадиман Джеймс 1998 *Теории личности*

Гоулман Дэниел 2006 *Социальный интеллект*

Хендерсон Гротберг Эдит 2006 *Устойчивость в современном мире*

Каздин Э. Алан 1998 *Модификация поведения и практическое применение*

Клемаш Кристиан 2006 *Как преуспеть в игре жизни*

Манкелюнас Матео 1991 *Психология мотивации*

Миллман Дэн 1997 Повседневное *просветление*

Миллман Дэн 2000 Жизнь *в целях*

Первин А. Лоуренс/Джон П. Оливер 2008 *Личность. Теория и исследования*

Пригожин Илья 1997 *законы хаоса*

Облитас Луис А. *2004 Психология здоровья и качество жизни (Psicología de la Salud Y calidad de vida)*

Орлик Терри 1990 *В погоне за совершенством*

Paris Ginette 2009 *Внутренняя жизнь*

Парра А. Альмудена 1997 *Tú cuerpo es tuyo*

Рока Хосеп 2006 *Самомотивация*

Макгроу Фил 2004 *Семья прежде всего*

Вега Баэс Х.М. 2002 *Ромбо в Симе*

Ватцлавик Пол 1991 *Теория человеческой коммуникации*

W. Кроуфорд Дж. 1972 г. *Реклама*

Зиглар Зиг 1994 *До встречи на вершине*